## パリのお店屋さんのクロスステッチ

480点のモチーフで楽しむ
お店めぐり

Les boutiques et métiers de toujours à broder au point de croix
Véronique Enginger

Direction éditoriale : Guillaume Pô
Édition : Marylise Trioreau
Direction artistique : Chloé Eve
Mise en page : Vincent Fraboulet
Photographies : Fabrice Besse
Stylisme : Sonia Roy
Conception, explications et illustrations des ouvrages : Sylvie Blondeau
Fabrication : Thierry Dubus et Audrey Bord
Merci à Alice Lucas-Rodier et Justine Magnain pour leur aide.

First published in 2014 by Éditions Mango pratique
15-27 rue Moussorgski
75895 Paris, cedex 18, France

This Japanese edition was published in Japan in 2015
by Graphic-sha Publishing Co., Ltd.
1-14-17 Kudankita, Chiyoda-ku, Tokyo 102-0073, Japan
Tel: +81 (0)3-3263-4318

Japanese text and instruction page pp. 118-127
© 2015 Graphic-sha Publishing Co., Ltd.

All rights reserved. No part of this publication
may be reproduced, stored in a retrieval system, or
transmitted in any form or by any means, electronic,
mechanical, photocopying, or otherwise, without the
prior permission of the publisher.

ISBN 978-4-7661-2735-5  C2077

Printed and bound in Japan

---

Japanese edition
Translation: Rica Shibata
Instruction pages: Yumiko Yasuda
Layout: Shinichi Ishioka
Jacket design: Chiaki Kitaya, CRK design
Editor: Kumiko Sakamoto

*Le albums de la brodeuse*  　　　　Les boutiques

## パリのお店屋さんのクロスステッチ

480点のモチーフで楽しむ
お店めぐり

グラフィック社

「シェ・フロレット」のスミレを持ってきてくれた、あなたに。

# *Préface*
## はじめに

お菓子屋さんのウインドーに張りついて、スイートなスイーツにときめいたり。
おもちゃ屋さんのウインドーを眺めながら、あれこれ想像してウキウキしたり。
幼いころの私たちにとって、お店屋さんは夢の世界。
雑貨屋さんの艶出しワックスの匂いや、手芸屋さんのチリンチリンという小さな鈴の音……。
誰もがそれぞれ、特別な思い出を持っているもの。
そして、大人になった今でも、大好きな行きつけのお店があるはず。
自分だけの"とっておき"がお目当てだったり、
なじみの店員さんとのおしゃべりが目的だったり。
あるいは、ともかく素敵な空間だから？　それとも、いつもそこに、そのお店があったから？
お店というのは、それぞれがスペシャリスト。
そして、街や都市にチャーミングな彩りを添えるもの。
お菓子屋さんに八百屋さん、お肉屋さん……。みんな歴史の生き証人。
私たちの暮らす街を生き生きとさせてくれるスポット。
さあ、生地と糸と針を手にして、この楽しい小宇宙に命のきらめきを灯して！

ヴェロニク・アンジャンジェ

## $\mathscr{S}ommaire$ もくじ

$\mathscr{P}réface$     5
はじめに

$\mathscr{L}es\ broderies$     9
刺しゅう

砂糖菓子屋さん     10

お菓子屋さん     12

パン屋さん     14

ウインドーの風景     16

おしゃれなフランスパン袋     18

ビストロ     20

アイスクリーム屋さん     22

お肉屋さん     24

陽気なエプロン     26

チーズ屋さん     28

八百屋さん     30

お花屋さん     32

お花屋さんのガーデニングバッグ     34

香水屋さん     36

帽子屋さん     38

パリジェンヌの帽子ケース     40

手芸屋さん     42

金物屋さん     44

海辺のマーケット     46

バカンス気分のビーチバッグ     48

おもちゃ屋さん     50

かわいい看板たち     52

小さなお店屋さん     54

受け継がれる仕事     56

商店街     58

$\mathscr{L}es\ grilles\ de\ point\ de\ croix$     60
クロスステッチのチャート

$\mathscr{L}e\ materiel$     118
材料＆道具

$\mathscr{T}echnique\ et\ confection\ des\ ouvrages$     119
作品の作り方とコツ

表紙作品のチャート
ティーサロン     81

# La confiserie ラ・コンフィズリー
## 砂糖菓子屋さん

お菓子屋さんやチョコレート屋さんのウインドーの前を、素通りできる人はいるかしら？ガラス瓶やショーケースに並べられた甘美な誘惑は、目で味わっても美しくて。美味しいスイーツを愛でる喜びを、糸と針を使って永遠に。

**LA PETITE HISTOIRE…**
お店にまつわるマメ知識

**砂糖菓子**

　シュクル・ドルジュ、ベルランゴ、キャラメル……。お菓子の中には、古い歴史を持つものがたくさんあります。11世紀にヨーロッパに砂糖がもたらされるまでは、お菓子はハチミツを使って作られていました。甘いお菓子を商品にした先駆けはイタリア人。フランスの歴史に登場するのは、カトリーヌ・ド・メディシス（1519-1589）がお嫁に来る時代まで待たなければなりません。彼女は1533年のアンリ二世との婚礼の際に、イタリアからコンフィズール（菓子職人たち）を引き連れてきたのです。そこから甘いお菓子の文化が花開きました。まさに、フランスに最大の幸福をもたらした王妃！

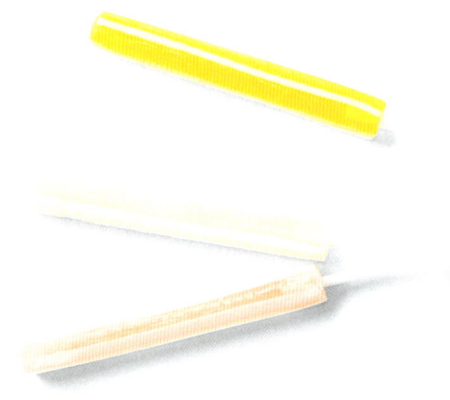

---

**フランス語のプチレッスン**
～ステッチの参考に！～

| | |
|---|---|
| ドゥピュイ<br>Depuis 1950 | 1950年創業 |
| オ・フリアンディーズ<br>AUX FRIANDISES | お菓子 |
| アルティザン・ショコラティエ<br>ARTISAN CHOCOLATIER | チョコレート職人 |

チャート：P.62

1cm＝11目の麻布（アイボリー）：30 x 40cm

刺しゅうのサイズ：横20.7×縦25.6cm

2本どり、2目刺し

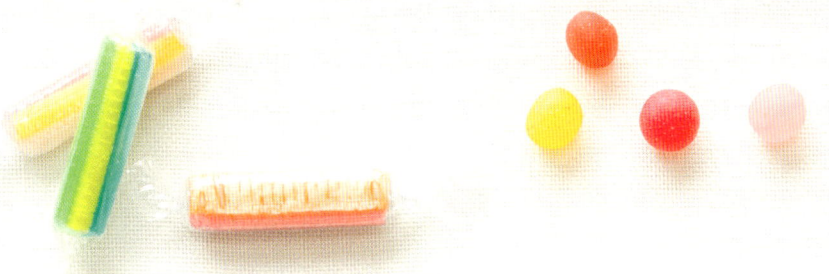

# *La pâtisserie* ラ・パティスリー
## お菓子屋さん

いつでも夢を見させてくれる、パティスリーのウインドー。可憐なお菓子たちは食べるのがもったいないほど。金色のラインと渦巻き装飾でおめかしした、この素敵なサロン・ド・テを刺しゅうし、エレガントな雰囲気に思い切り魅了されて……。
これは、食道楽(グルマンディーズ)へのお誘い！

**LA PETITE HISTOIRE...**
お店にまつわるマメ知識

マカロン

　フランスのパティスリーに並ぶお菓子たちの中でも、マカロン(macaron)は皆が大好きなお菓子。パリでマカロンといえば、「ピエール・エルメ」や「ラ・デュレ」を思い浮かべる人も多いのでは？でも、このお菓子、実はイタリア生まれ。この愛らしい焼き菓子をフランスに持ち込んだのは、食いしん坊で知られる王妃、カトリーヌ・ド・メディシス。フランスでまたたくまにマカロンは洗練され、かのマリー＝アントワネットもお気に入りで、「ダロワイヨ」にマカロンを作らせていたのだとか。ただし、2つのマカロン・コックの間にガナッシュが詰められるようになったのは、20世紀になってから。まさに美味なるもの！

### フランス語のプチレッスン
～ステッチの参考に！～

| | |
|---|---|
| パティスリー<br>PATISSERIE | お菓子 |
| レ・デリス<br>Les Délices | 美味なるもの |
| サロン・ドゥ・テ<br>Salon de thé | ティーサロン |
| シュクル<br>SUCRE | お砂糖 |

チャート：P.63

1cm＝11目の麻布（アイボリー）：30 x 40cm

刺しゅうのサイズ：横22.5×縦27.6cm

2本どり、2目刺し

# La boulangerie ラ・ブーランジュリー
## パン屋さん

パリのパン屋さんに並ぶ、バゲットやブリオッシュ、ヴィエノワーズリー……。お気に入りのパン屋さんに立ち寄るのは、フランス人にとって朝と夜の重要な儀式。赤のグラデーションでまとめた、この伝統的な雰囲気のパン屋さんのウインドーには、黄金色に焼き上がったパンたちが並んで。食いしん坊たちを喜ばせてくれる、パン職人たちへのオマージュ。

**LE SAVIEZ-VOUS ?**
ご存知でしたか？

### バゲット

　世界の人がイメージするフランスのシンボルといえば、ワイン、ベレー帽、チーズ……。そしてバゲット（baguette）も間違いなく、リストのトップに挙がるでしょう。

　でも、バゲットと呼ばれるためには、厳格な決まりがあるってご存知ですか？　厳密には、細長い形状のパンが必ずしもバゲットというわけではありません。バゲットというのは、実に"生真面目な"パンなのです。

　長さは65cm、幅は5〜6cm、そして厚みは3〜4cmであること。生地は添加物を一切含んではならず、小麦粉、水、酵母またはパン種、塩のみ。そして、重さは約250gでなくてはなりません。これらをクリアーして初めて、バゲットと呼ばれるパンになるのです。

### フランス語のプチレッスン
〜ステッチの参考に！〜

| | |
|---|---|
| ブーランジュリー **BOULANGERIE** | パン屋さん |
| パン **PAINS** | パン |
| ウーヴェール **OUVERT** | オープン |
| パン・スペショー **PAINS SPECIAUX** | スペシャリテのパン |
| トラディション **TRADITION** | 伝統 |

チャート：P.64

1cm = 11目の麻布（ナチュラル）：30 x 40cm

刺しゅうのサイズ：横22.7×縦27.8cm

2本どり、2目刺し

# *Détail de vitrine* デタイユ・ドゥ・ヴィトリンヌ
## ウインドーの風景

パン屋さんでおなじみの、ヴィエノワーズリーを周りにあしらって。レトロなパン屋さんの外観をイメージしたこのウインドーの風景が紡ぐのは、牧歌的なストーリー。田園風景をステッチしながら、ほのぼのした気持ちで古き良き時代に思いを馳せて。

**LE SAVIEZ-VOUS ?**
ご存知でしたか？

**パンで旅するフランス大周遊**

　パンはフランス人にとって、国家財産のようなもの。地方ごとのスペシャリテもお楽しみです。パリではもちろんバゲットが主役。パリっ子からツーリストまで、皆が大好き！ オワーズ県の「レジャンス（Regence）」は、5つの丸パンが円弧形にくっついたパン。ノルマンディーに行ったら、葉っぱ（または穂の形）の模様が切り込まれた楕円形のパン、「ブリエ（Brié）」をお忘れなく。お隣ブルターニュのスペシャリテは、「パン・プリエ（Pain plié）」。ポワトゥーでは、2本のバゲットの先端をつなげて楕円形にしたような、「コリエ（Collier）」がお楽しみ。ボルドーでは、8つの丸パンをつなげた輪っか状のパン、「クーロンヌ（Couronne）」。ちなみにリヨンのクーロンヌは、生地の真ん中に穴を開けて輪っか状にしたタイプ。ジェールでは、両端をくるっと内側に巻いたパン。昔のソファのような形のこのパンを、地元の人は「外套(ポルト・マント)」と呼んでいます。

　オーベルニュのパンは丸型で表面が平ら。ミディ地方では、らせん状に巻かれた「パン・トルデュ（Pain tordu）」。プロバンスの人たちが大好きなのは、「フガス（Fougasse）」。アルデッシュでは、大きな丸型の生地の周りを5つの丸パンで囲んだ、お花のような「マルグリット（Marguerite）」がおなじみ。ジュラのパン屋さんたちは、三つ編み型の「クーロンヌ・シャプレ（Couronne chapelet）」を、何世代も前から作り続けています。サボワ地方には、十字架を刻んだ丸型のパン、「ヴォードワ（Vaudois）」というパンが。ソーヌ・エ・ロワールのパンといえば、表面にひし形の模様が入った「ヴィヴァレ（Vivarais）」。

チャート：P.65
1cm－11目の麻布（アイボリー）：30×40cm
刺しゅうのサイズ：横19.6×縦26.9cm
2本どり、2目刺し

# *Le sac à pain* ル・サック・ア・パン
## おしゃれなフランスパン袋　　作品の作り方 P.120

エレガントでオリジナリティあふれるバゲット袋は、パン屋さんからキッチンまで、バゲットを大切に守ります。モダンな水玉プリント×ノスタルジックな図案の組み合わせがチャーミング。パンを保存する実用的な目的だけでなく、キッチンにさり気なく吊るしておくだけで、おしゃれな雰囲気に。

# ビストロ

ワイワイ＆ガヤガヤ、みんなで飲んだり食べたり……。パリの街角にある、賑やかなビストロの雰囲気が伝わってきませんか？　まずは、カウンターでカフェをくいっと。そしてテラス席で、"プラ・ド・ジュール（本日の定食）"を食べるのが、常連客たちのツウな流儀。どこかノスタルジックなこのモチーフは、キッチンやダイニングにぴったり。

**LA PETITE HISTOIRE...**
お店にまつわるマメ知識

ビストロ

　「ビストロ」は、街の気取らないレストラン。お得意は、がっつり＆ボリュームたっぷりの、シンプルな定番フランス料理。ビストロの料理は都市によって異なりますが、あくまでもフランス料理であり、凝り過ぎていることもありません。

　お客さんたちは皆、大声で話したり、笑ったり。オーナーはお客さんたちと顔なじみで、お客さんに交じって席についていることもしばしば。つまり、ビストロというのは友達の家のような場所！

　ビストロの語源については、諸説あります。一番有名ないわれは、1815年、パリに駐屯していたロシア兵たちが、素早くサーブしてもらおうとして、「Bystro（ビストロ＝ロシア語で「早く」）、Bystro（ビストロ）」と叫んでいたというもの。彼らは酒を売る店に入るのを許されていなかったからです。

　でも、ビストロという言葉がフランス語の中に登場したのは1884年。モロー神父が、著書『プチット・ロケットとグランド・ロケットの思い出（Souvenirs de la petite et de la grande Roquette』）の中で、その言葉の意味について記したのでした。さらに別の説は、「ビストルゥイユ（bistrouille）」（「ビストゥイユ（bistouille）」）が語源だというもの。これは、蒸留酒とカフェの混合物、または粗悪な蒸留酒（安ブランデー）を指し、この2つの飲み物はカフェ・レストランで飲むことができたのです。

### フランス語のプチレッスン
〜ステッチの参考に！〜

| | | | |
|---|---|---|---|
| CAFE-RESTAURANT（カフェ＝レストラン） | カフェ＆レストラン | DECA OU SERRÉ（デカ・ウ・セレ） | デカフェかエスプレッソ |
| AU BISTROT DU COIN（オ・ビストロ・デュ・コワン） | 街角のビストロ | VIENNOIS（ヴィエノワ） | ウィンナ・コーヒー |
| TELEPHONE（テレフォン） | 電話 | GRAND OU PETIT CRÈME（グラン・ウ・プティ・クレーム） | カフェ・クレーム（大または小） |
| LIQUEURS（リクール） | リキュール | FRAPPÉ（フラッペ） | 氷で冷やした |
| CASSE CROUTE（キャス・クルート） | サンドイッチ | NOISETTE（ノワゼット） | ヘーゼルナッツ（エスプレッソに少量のミルクを入れたマッキャート） |
| Plat du jour（プラ・デュ・ジュール） | 本日の定食 | ALLONGÉ（アロンジェ） | アメリカンコーヒー（コーヒーをお湯で薄めたもの） |
| PETIT NOIR（プティ・ノワール） | エスプレッソを指す | | |
| MATIN（マタン） | 朝 | | |

チャート：P.66
1cm＝11目の麻布（アイボリー）：30 x 40cm
刺しゅうのサイズ：横20.5×縦26.4cm
2本どり、2目刺し

# *Le glacier* ル・グラシエ
# アイスクリーム屋さん

爽やかな季節になると、アイスクリーム屋さんに寄るのが子どもたちのお愉しみ。でも子どもだけではありません！ フレーバーのリストを指さしながら、どの味にしようかしら……。パステルカラーの色使いが、甘くてフルーティーな香りを思い起こさせます。こんなにキュートで楽しいステッチを刺せるのは、大人だけのお愉しみ！

**LA PETITE HISTOIRE...**
お店にまつわるマメ知識

### アイスクリーム

　古い言い伝えによると、初めての氷菓はローマ時代に遡るとか。皇帝たちに敬意を表し、召使いたちは雪を求めて山に分け入り、その雪をハチミツと果物の果汁に混ぜて供したといいます。

　クリームとハチミツを混ぜて凍らせたものも、やはりイタリアから伝わりました。多くのお菓子と同じく、カトリーヌ・ド・メディシスのおかげでフランスにもたらされたのです。

### フランス語のプチレッスン
～ステッチの参考に！～

| | |
|---|---|
| グラシエ<br>glacier | アイスクリーム |
| フレーズ<br>fraise | ストロベリー |
| ヴァニーユ<br>vanille | バニラ |
| シトロン<br>citron | レモン |
| マント<br>menthe | ミント |
| ショコラ<br>chocolat | チョコレート |
| グラス<br>GLACES | アイスクリーム |
| ソルベ<br>SORBRT | シャーベット |

チャート：P.67
1cm-11目の麻布（アイボリー）：30 x 40cm
刺しゅうのサイズ：横18×縦24.4cm
2本どり、2目刺し

## *La boucherie* ラ・ブッシュリー
## お肉屋さん

赤のグラデーション、チェック柄、シャロレーズ種の牛の凛々しい顔。このデザインは、ひときわ目立つ店構えのお肉屋さんやシャルキュトリー（豚肉加工肉店）へのオマージュ。お肉の包み紙＆品質保証ラベルからインスピレーションを受けた、とびきりチャーミングな絵柄はキッチンにおすすめ。

**LA PETITE HISTOIRE...**
お店にまつわるマメ知識

### チェック柄

　今では目にする機会も減ってきましたが、チェック柄の生地はフランスの郷土と結びついた重要なシンボル。1959年に、ブリジット・バルドーがジャック・シャリエと結婚したときに着たことで、チェック柄はモード界のブームになったほど。

　ピクニックのナプキン、ビストロのテーブルクロス、ジャム瓶カバー、布きん……。赤と白のチェックは、フランス人にとっての原風景。懐かしさを感じると同時に、日常生活の一部となっているのです。

---

**フランス語のプチレッスン**
～ステッチの参考に！～

| | |
|---|---|
| ブッシュリー<br>BOUCHERIE | お肉屋さん |
| シャルキュトリー<br>CHARCUTERIE | 豚肉加工食品店 |
| ヴォライユ<br>VOLAILLE | 家禽 |
| ラベル<br>LABEL | 品質保証ラベル |

---

チャート：P.68
1cm＝11目の麻布（アイボリー）：30×40cm
刺しゅうのサイズ：横18.4×縦24.5cm
2本どり、2目刺し

**LE SAVIEZ-VOUS ?**
ご存知でしたか？

### 牛の種類

フランスには37種類の牛がいます。

食肉用に飼育されている種もあります。代表的な品種：

・リムジーヌ種（茶色）
・シャロレーズ種（白）
・アキテーヌのブロンド種（クリーム色）

黒い斑点を持つ白い牛は、乳牛用に飼育されています：

・フランス原産のプリム・オルスタン種
・アメリカ原産のホルスタイン種
・プリム・オルスタン種×ホルスタイン種の交配種、黒いまだらのブルトンヌ種
＊フランスの牛乳は、遥か中国にまで輸出されています！

食肉および乳牛として用いられている種もあります。代表的な品種：

・モンベリアルド種（白色で明るい茶色のぶちがある）
・ノルマンド種（白色で濃い茶色のぶち）
　＊牛乳はカマンベールチーズの原料に。
・ヴォジエンヌ種（黒と白のぶち、背中の上部は白、腹は黒）
・フラマンド種（濃い茶色）

　一般的にチーズはそれぞれ、1種か2種の乳牛から作られています。合計で、約2千万頭の牛がおり、そのうち85％が上に記した種に属しています。

# *Le tablier* ル・タブリエ
## 陽気なエプロン　作品の作り方 P.121

お肉屋さんが嫉妬するような、素敵なエプロン！　汚れがつかないように気をつけて。リネン生地×赤い糸の単色使いという組み合わせがフランスらしく、シンプルな刺しゅうの美しさが印象的。

# *La crèmerie* ラ・クレムリー
## チーズ屋さん

サン・ネクテール、エメンタル、カマンベール、フルム・ダンベール……。乳製品店に入るのは、単にお買い物をするという以上のこと。フランス各地の美味しい製品との出会いの場でもあるのです。クロスにこのブルーのグラデーションを刺し、お皿の下に敷いて小憎い演出。もちろん、お皿にはチーズをたくさん乗せて！

チーズが積み上げられていたのは、とりわけテーブルの上だった。500gに切り分けられ、フダンソウの葉に包まれたバターの塊の横に、斧で割ったような大きなカンタルが鎮座している。その隣には黄金色のチェシャー、異国の戦車から外れた車輪にも似たグリュイエール。そして、乾いた血が付着した切り首のように丸くて、むき出しの頭蓋骨のように固いため「死者の頭」と呼ばれるオランダのチーズ。これら加熱チーズのなかで、パルミジャーノがかぐわしい香りをかすかに添えている。丸い板に乗った3つのブリーは、おぼろな月のような哀愁をかもし、2つは丸いままでよく乾いているのに、3つ目は四分の三ほどの円形で、中身の白いクリームが溢れ出し、それを防ぐために置いた薄板を乗り越え、べったりと広がっている。ポール＝サリュは古代ギリシャの円盤さながらで、刻印された製造者の名前がひときわ目を引く。こうしたきつい発酵臭のなかで、銀紙に包まれたロマントゥールは、バー状のヌガーのように甘いチーズへの夢をかもしている。ロックフォールもガラスのカバーをまとい、見た目は君主のようであるのに、ねっとりとした顔に青と黄色の斑(ぶち)が入っているので、トリュフを食べすぎた金持ちが性病に罹(かか)ったかのようだ。その横の皿には、子供のこぶしほどの大きさで固くて灰色のヤギのチーズが乗っていて、群れを引き連れた雄ヤギが、石ころだらけの小道の曲がり角で転がり落とした小石を思わせる。

エミール・ゾラ著『パリの胃袋』（1873年刊）より。

**フランス語のプチレッスン**
～ステッチの参考に！～

クレムリー
**CRÈMERIE**　　　　乳製品店

オ・ボン・レ
**AU BON LAIT**　　　おいしい牛乳

フロマージュ
**FROMAGES**　　　　チーズ

チャート：P.69

1cm＝11目の麻布（アイボリー）；30×40cm

刺しゅうのサイズ：横19.8×縦24.9cm

2本どり、2目刺し

# *Le primeur* ル・プリムール
# 八百屋さん

今日はマルシェの日！　地元の生産者が育てた旬の果物や野菜がカラフルに売り台を彩り、あちらこちらから威勢のいい声が飛び交って……。活気あるフランスの日常のひとこま。小さな籠(パニエ)と立派な野菜を刺しゅうし、インテリアにちょっと田舎の雰囲気を。

### LA PETITE HISTOIRE...
お店にまつわるマメ知識

#### パリ最古のマルシェ

「マルシェ・デ・ザンファン・ルージュ」の起源は、1615年に遡ります。同じ場所に建設された孤児院から名を取り、1982年には、"歴史的モニュメント"に指定されました。常設市場の先駆けであるものの、時間にかかわらず人通りの絶えない場所であるため、パリ3区の中心的存在。10年前からこのマルシェでは、都会では珍しい試みも行っています。それは、"ポタジエ・デ・ゾワゾー(鳥たちのための野菜畑)"と呼ばれるシェア菜園。住民たちはこの小さな平和の避難所に集い、首都のど真ん中でフルーツや野菜を育てています。こういう形の共生はフランスならでは。

| フランス語のプチレッスン |  |
| --- | --- |
| ～ステッチの参考に！～ |  |
| フリュイ & レギューム<br>FRUIT & LEGUMES | フルーツ&野菜 |
| ラ・ボット<br>la botte | 1束 |
| ドゥー・フラン ピエス<br>2 F PIECE | 1つ2フラン |

チャート：P.70

1cm＝11月の麻布（ナチュラル）・30×40cm

刺しゅうのサイズ：横18.5×縦23.8cm

2本どり、2日刺し

# *La fleuriste* ラ・フルーリスト
## お花屋さん

幸せの小さなお店、「シェ・フロレット（Chez Florette）」へ、ようこそ！　素晴らしいバラのブーケや、エレガントな寄せ植えを作ったり、見事な小灌木の花壇をつくって。カラフルな色づかいなのに優雅なイメージの世界観に、夢も広がるはず……。

**フランス語のプチレッスン**
～ステッチの参考に！～

シェ・フロレット
**chez Florette**　　　フロレットの家

コンポジション・プール・マリアージュ・エ・セレモニー
**compositions pour mariages et cérémonies**
ウェディング＆セレモニーのための花束たち

スゥエ
**souhait**　　　願い（英＝wishes）

ディ・フラン・ラ・ボット
**10F la botte**　　　1束10フラン

### LE SAVIEZ-VOUS ?
ご存知でしたか？

#### 花言葉

　花言葉はオリエントのハーレムで誕生したと言われています。女性たちが外部と連絡を取れないという事実を取りつくろうためだったとか。16世紀、恋人たちは花束によって愛の言葉を交換しました。でも、花言葉が豊富になったのは、19世紀のロマン派の時代。花に秘められたメッセージは、とてもロマンティック。

アザレア：愛する喜び
ベゴニア：真心
ヤグルマギク：忠実
ツバキ：高慢
シクラメン：美しさ、嫉妬
ダリア：感謝
野バラ：愛、つかの間の幸せ、詩
フクシア：心の強さ
ゼラニウム：恋心
ストック：誠実、素早さ
フジ：優しさ
アイリス：優しい心、朗報
ヒアシンス：心の喜び
ジャスミン：官能的な恋

キズイセン：欲望
ラベンダー：敬意を込めた思いやり、沈黙
マグノリア：優しさ
マーガレット：心のシンプルさ、無垢
スズラン：密かな媚、幸福の再来
ラン：熱意
パンジー：愛情深い思い
ツルニチニチソウ：永続の友情、憂鬱
ボタン：真摯、恥辱
白いバラ：渇望する愛
ピンクのバラ：愛の誓い
赤いバラ：情熱的な愛
チューリップ：愛の告白、うぬぼれ
スミレ：密かな愛、慎み深さ

チャート：P. 71
1cm＝11目の麻布（アイボリー）：30 × 40cm
刺しゅうのサイズ：横20×縦24cm
2本どり、2目刺し

# *Le sac de jardinage* ル・サック・ドゥ・ジャルディナージュ
## お花屋さんのガーデニングバッグ　作品の作り方　P.122-123

小ぶりながらポケットがたくさん。このバッグはお庭仕事の優秀なパートナー。
ガーデニング・グッズと種を詰め込んで、小粋に腕にかけてみて！

# *La parfumerie* ラ・パフュームリー
# 香水屋さん

香りがかすかに残る、美しいデザインの小瓶たち……。アンティークの香水瓶は、まるで小さな宝石のよう。この素敵なコレクションを刺しゅうして、バニティーケースや化粧用ポーチを華やかに彩って。

「ジャスミンかバラの咲き誇る野原が、暁に生む魔法を体験したことのない人々は、香水とは何かを本当に知っているのか？」

ジャン＝ポール・ゲラン

「私が創った香水はそれぞれ、女性のポートレートだ」

ジャン＝ポール・ゲラン

「女性は、キスされたいと思う所ではいつでも香水をつけるべきでしょう」

ココ・シャネル

「思い出とは、魂の香水」

ジョルジュ・サンド

「我々の言語では、香りの世界を語りつくせない」

パトリック・ジュースト

### フランス語のプチレッスン
～ステッチの参考に！～

| | |
|---|---|
| パルファン<br>Parfum | 香水 |
| オー・ドゥ・ローズ<br>EAU DE ROSE | バラ水 |
| ソワール<br>SOIR | 夜 |

チャート：P.72

1cm＝11目の麻布（アイボリー）、30×40cm

刺しゅうのサイズ：横17.8×縦21.6cm

2本どり、2目刺し

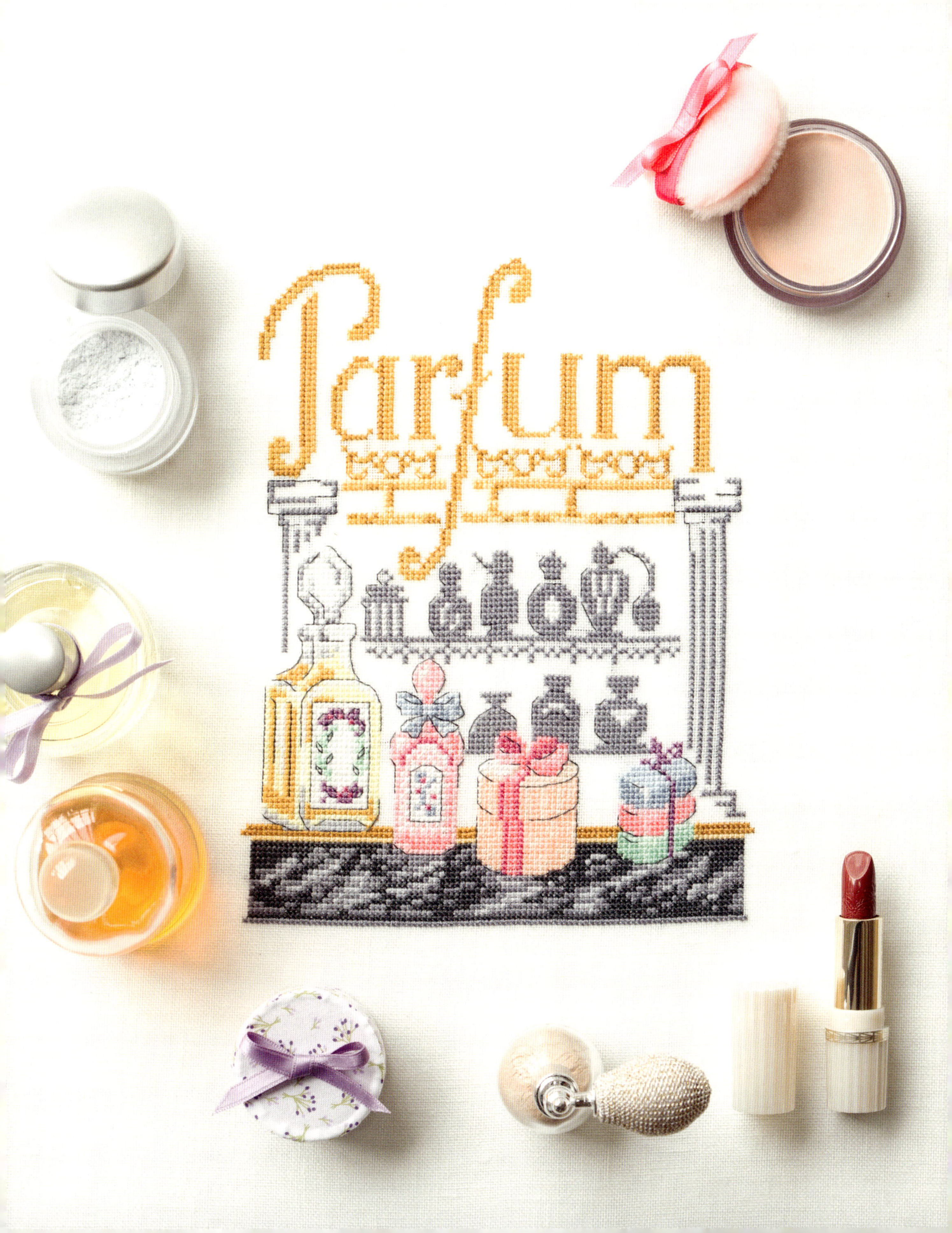
Parfum

# *La modiste* ラ・モディスト
## 帽子屋さん

婦人用帽子店に出かけて丹念にかぶりものを選ぶのは、かつてのフランスでは日常の風景。さあ、1950年代にタイムスリップ！ レトロなテイストの、この洗練されたシルエットを刺しゅうして。

**LA PETITE HISTOIRE...**
お店にまつわるマメ知識

**帽子なしでは！**

　帽子は長いこと、女性の身だしなみには欠かせない必須アイテムでした。かぶりもののない女性……それは思いもよらない事だったのです。今では、昔ながらの帽子専門店はほとんど姿を消しました。ニットキャップは例外として、かぶりものをしている女性たちはごく稀です。

　でも風習に忠実な女性たちは今もなお、羽毛やパール、ベルベット、あるいは花を頭に飾り、行き交う人の好奇心や関心を引くこともしばしば。奇抜な帽子がトレードマークになる人も。

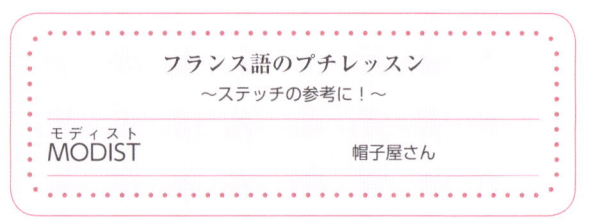

---

**フランス語のプチレッスン**
〜ステッチの参考に！〜

モディスト
**MODIST**　　　　帽子屋さん

---

チャート：P.73
1cm－11目の麻布（アイボリー）：30 x 40cm
刺しゅうサイズ：横17.0 x 縦24.4cm
2本どり、2目刺し

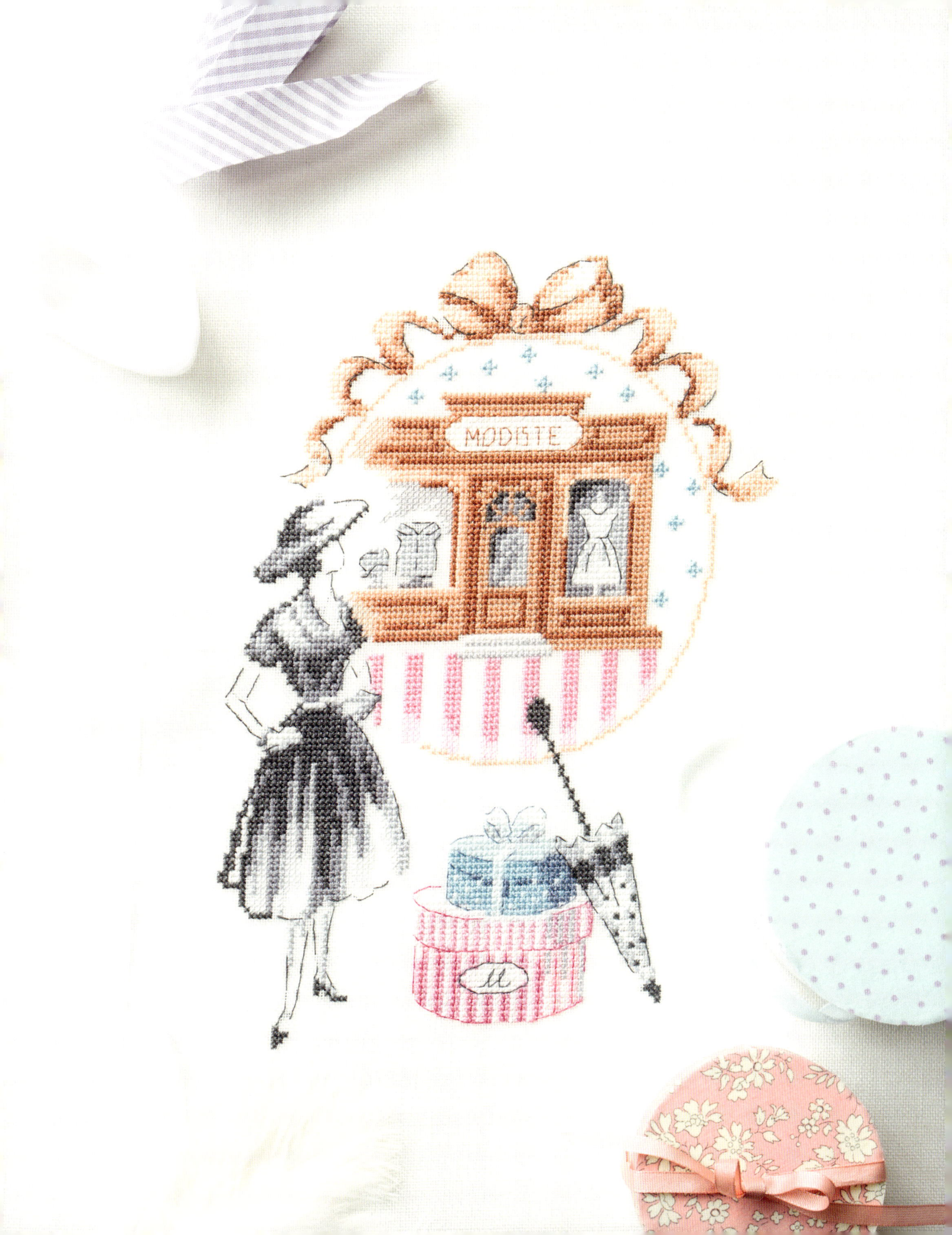
MODISTE

# La valise à chapeaux ラ・ヴァリーズ・ア・シャポー
## パリジェンヌの帽子ケース　　作品の作り方　P.124-125

エレガントな構図と繊細なライン。1950年代をイメージしたこのデザインは、帽子ケースのモチーフにぴったり。バッグとしてお散歩のお供にも。きっと、皆から羨ましがられること間違いなし！

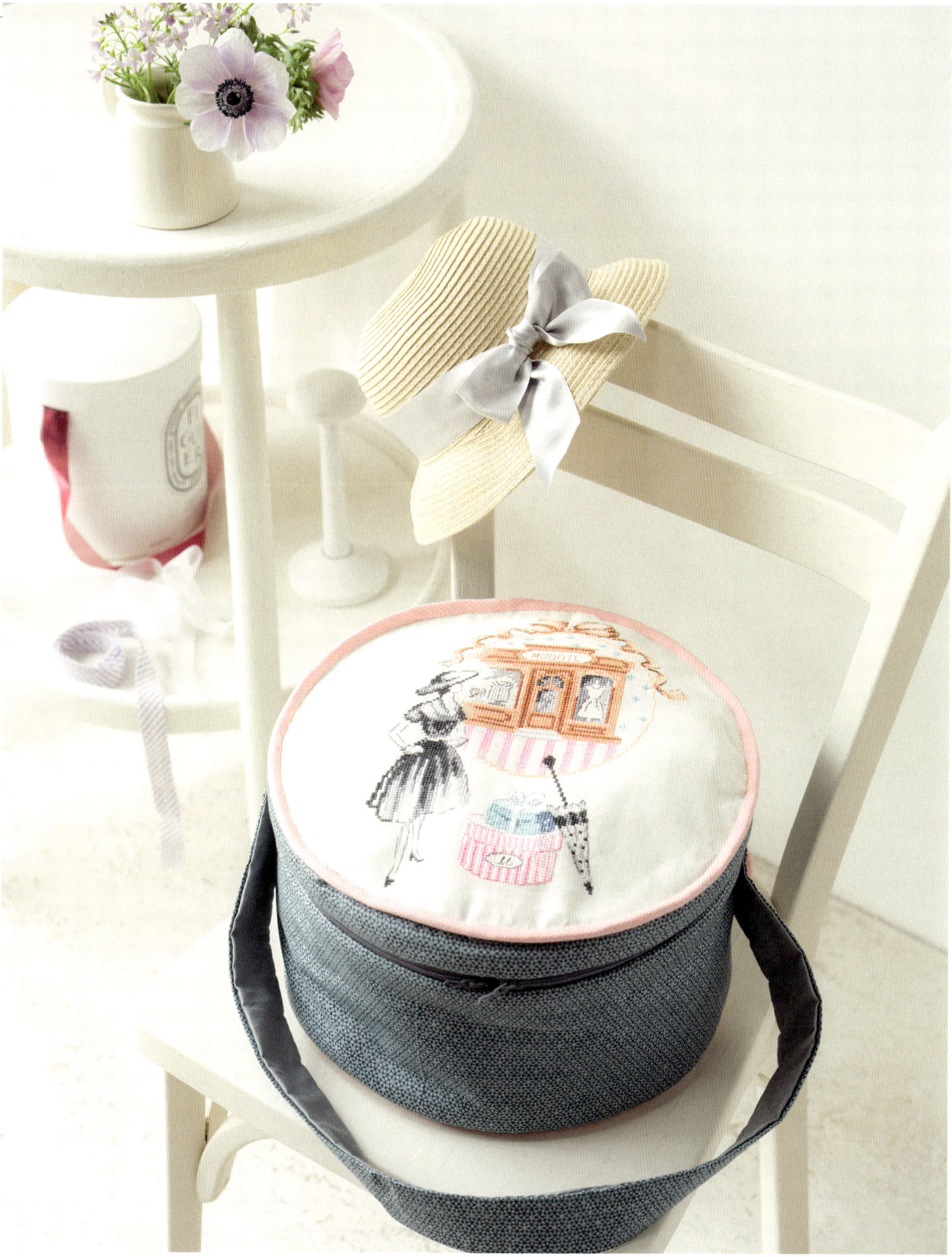

## La mercerie ラ・メルスリー
# 手芸屋さん

この小さな愛らしい手芸屋さんを刺しゅうし、糸が紡ぐアートの世界への情熱を明かして。ボタンやリボン、生地、毛糸玉などの、大好きなアイテムにもうっとり。アトリエにちょこっと手芸屋さんの雰囲気を。

### LA PETITE HISTOIRE...
お店にまつわるマメ知識

#### パリの手芸屋さん

老舗の帽子店から手芸品店になった「ウルトラモッド（Ultramod）」。1830年以来ずっと、アマチュアから有名デザイナーに至るまで、手仕事が好きな人たちに夢を見させてくれています。ショワズール通り4番地（4 rue de Choiseul）の店舗には、リボン、ブレード、ボタン、糸の膨大なコレクションが所狭しと並び、昔のレースなどレアで貴重なヴィンテージ品も。木製の古いカウンターは、古き良き時代の雰囲気。ありとあらゆる色＆きらびやかな素材が積み上げられ、デザイナーの卵たちの想像力を刺激します。

フラン・ブルジョワ通り8番地（8 rue des Francs Bourgeois）の中庭に、パリの喧騒を離れて佇む「ロントレ・デ・フルニスール（l'Entrée des Fournisseurs）」。オーナーのリザさんのパッションから生まれたこの手芸店は、あらゆるデザイナーのニーズに応える、トラディショナル＆モダンな商品のセレクトが自慢。自分だけのオリジナル作品を思い描きながら、5000種以上のボタンと約2000種のリボンの中から、あれこれ迷ってチョイスして。

ジュール通り9-11番地（9-11 rue du Jour）、カラフルな看板でおなじみ。1975年創業の「ラ・ドログリー（La Droguerie）」は、パールやチェーン、個性的なボタンやリボンの魅惑的な品揃えが自慢。ベーシックな材料から、各人の好みに応じたユニークでオリジナルのアクセサリーを作るためのパーツも。瓶に入った膨大なコレクションの中から、レアなパールビーズを見つける楽しみも。

エミール・ゾラの小説に登場する架空のデパート、「ル・ボヌール・デ・ダム（Le Bonheure des Dames）」。ドメニル大通り17番地（17 avenue Daumesnil）には同名の手芸品店があります。刺しゅう作家のセシル・ヴェシエールさんが立ち上げたこの店はたちまち、刺しゅうファンや手芸好きの聖地に。店は"ヴィアダック・デ・ザール（芸術高架橋）"と呼ばれる高架下のアーケード内にあり、糸や生地はもちろん、選りすぐりのレースやリボンのコレクションが豊富。

---

**フランス語のプチレッスン**
〜ステッチの参考に！〜

メルスリー
**MERCERIE**　　　　　　手芸屋さん

パトロン・エ・フルニチュール・プール・レェーイェット
**Patrons et fournitures pour layette**
産着のためのパターンと裁縫小物

チャート：P 74

1cm＝11目の麻布（ナチュラル）：30 x 40cm
刺しゅうのサイズ：横20.5×縦24.5cm
2本どり、2目刺し

MERCERIE

*patrons et fournitures pour layette*

# *La quincaillerie* ラ・カンカイユリー
## 金物屋さん

カンカイユリーは、日用品や小道具を扱う商店。フランス人が大好きな、ブリコラージュ（日曜大工）の道具探しならこのお店へ。何ともレトロなこの店を刺しゅうすれば、まさにガラクタの巣窟！

**LA PETITE HISTOIRE...**
お店にまつわるマメ知識

**行商人**

　その昔、田舎では移動手段はごく限られていました。いえ、存在しなかったのです。ですから、日用品や健康維持に必要なモノを手に入れるために出かけるのは困難でした。そのため、田舎で暮らす人たちは、行商人が来るのを心待ちにしていたのです。でも、行商人の仕事はきつくてツラいので、なり手は少なく、めったに訪れることはありませんでした。行商人の中には世話好きもいれば、食わせ者もいました。新しい眼鏡を買わせるために、わざと眼鏡のレンズにラードを塗ったとか……。

### フランス語のプチレッスン
～ステッチの参考に！～

| | |
|---|---|
| クルール **COULEURS** | カラー |
| ドログリー **DROGUERIE** | 雑貨屋 |
| カンカイユリー **QUINCAILLERIE** | 金物屋さん |
| メナージュ **MENAGE** | お掃除 |

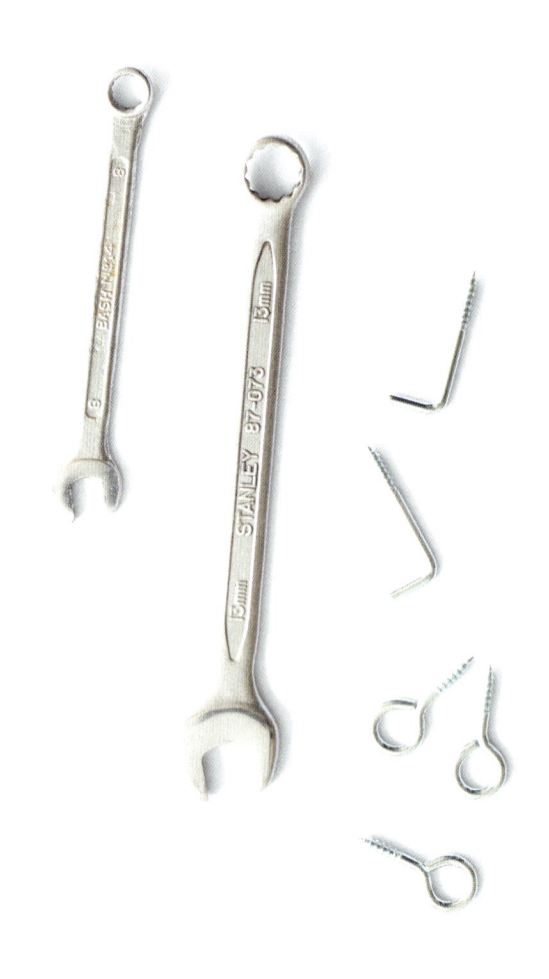

チャート：P.75

1cm＝11目の麻布（ベルポリ　）30×40cm
刺しゅうのサイズ：横20.5×縦25.6cm
2本どり、2日刺し

COULEURS

DROGUERIE

QUINCAILLERIE

MENAGE

## *Le bazar de plage* ル・バザール・ドゥ・プラージュ
## 海辺のマーケット

おニューの水着やビーチボールが必要？ お留守番をしている家族に絵ハガキを送りたい？ 海の家は、海辺のバカンスに欠かせない立ち寄りスポット。過ぎ去った夏の思い出に浸りながら、あるいは次のバカンスを想像しながら、この賑やかなイメージの刺しゅうをちくちくと。

### LE SAVIEZ-VOUS?
ご存知でしたか？

#### 水着の歴史

パンタロンに長いシャツ、ペチコート、コルセット、キャップ、ストッキング、履き物……。1860年代に初めてお目見えした水着は、だいたいこのような感じでした。しかもすべてウール素材！ 体にぴたっとしたタイプの、いわゆる水着は1905年に登場したものの、一般的になったのは第一次大戦後。1946年にルイ・レアールが発表したビキニは、センセーショナルでした。

劇場「カジノ・ド・パリ」のヌードダンサーが、パリのプール施設「ピシンヌ・モリトール」でのお披露目会で果敢にもビキニを着たのです。ビキニが一般的になったのは、1960年代になってから。これは特に、映画『素直な悪女(Et Dieu crea la femme)』の中でビキニを着た、時代のアイコン、ブリジット・バルドーの功績です。

---

**フランス語のプチレッスン**
～ステッチの参考に！～

| | |
|---|---|
| スーヴニール<br>SOUVENIRS | お土産 |
| バザール・デュ・ポール<br>BAZAR DU PORT | 港のマーケット |
| アルティクル・ドゥ・プラージュ<br>ARTICLES DE PLAGE | 海水浴グッズ |
| キャビン<br>CABINE | 客室（船室） |
| プルミエール・クラス<br>1ère CLASSE | 1等 |
| バボール<br>BABORD | 左舷 |
| トリボール<br>TRIBOARD | 右舷 |
| オセアン<br>OCÉAN | 海洋 |

---

1cm＝11目の麻布（アイボリー）：30×40cm
刺しゅうのサイズ：横21.1×縦24.2cm
2本どり、2目刺し

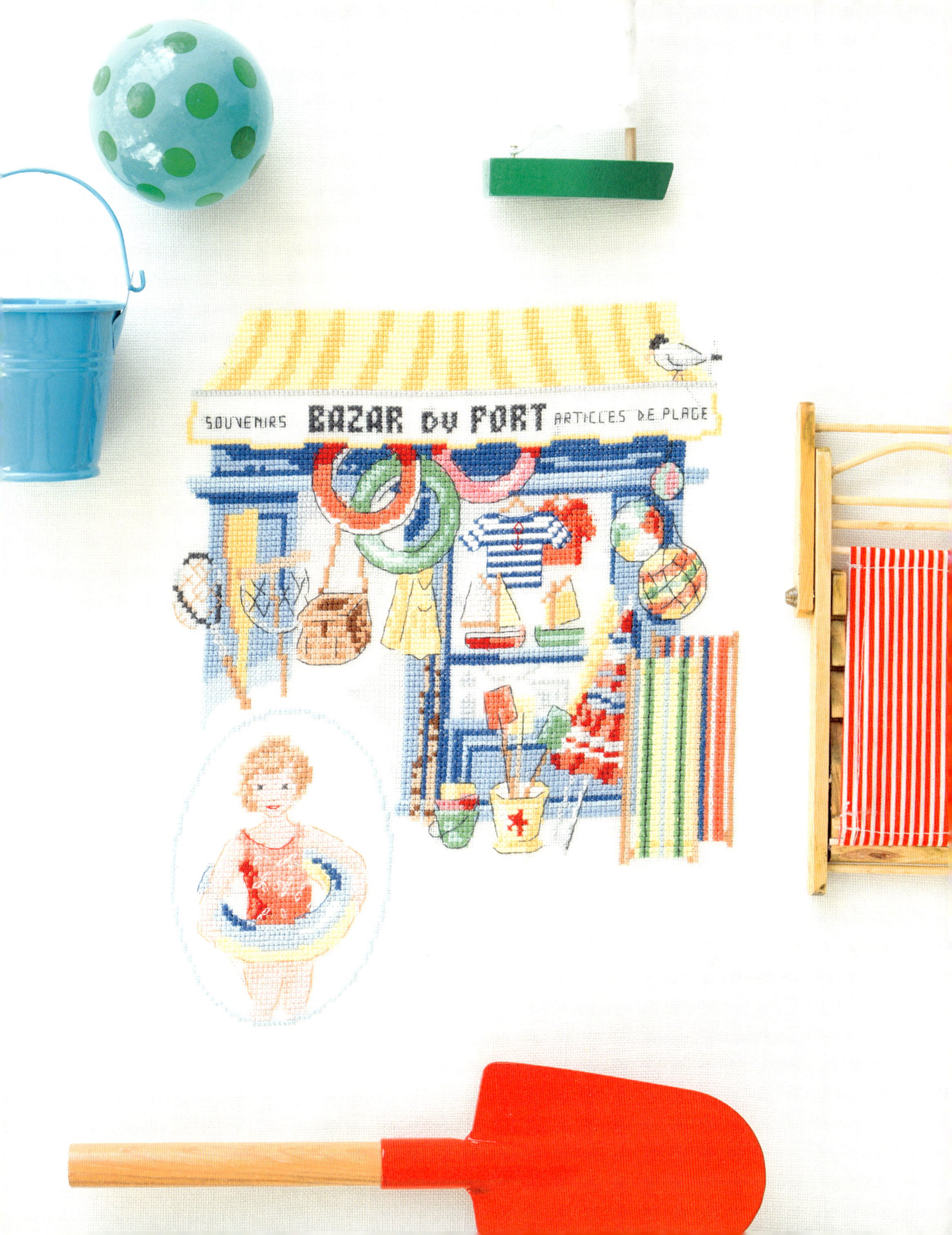
SOUVENIRS
BAZAR DU PORT
ARTICLES DE PLAGE

48

# *Le cabas de plage* ル・カバ・ドゥ・プラージュ
## バカンス気分のビーチバッグ　　作品の作り方 P.126

バカンス前に収納力たっぷりのこのバッグを作れば、旅のマストアイテムは全部すっぽり。タオル、水着、日焼け止めクリーム、クロスワードパズルの本……。カラフルな裏地＆アクセントにビタミンカラーのなみなみブレードを選び、いざビーチへ！

## Le magasin de jouets ル・マガザン・ドゥ・ジュエ
## おもちゃ屋さん

クリスマスの時期になると、おもちゃ屋さんのウインドーは小さな劇場に早変わり。ほら、ここでも2人の子供が、小さな列車や操り人形に見とれて。おもちゃ屋さんは、子どもにとってはまさに夢の世界。こんなモチーフを子供部屋に飾れば、ワクワク楽しい雰囲気を演出してくれるはず。

**SOUVENEZ-VOUS...**
思い出して…

　いくつになっても、昔懐かしいおもちゃが飾られたウインドーの前を通ると、何か思うところがあるはず……。

10歳：並べられているものすべてが欲しくなる……。
30歳：子ども時代に立ち戻り、自分の子どものために買ってしまう……。
60歳：古き良き時代を思い出す……。

---

**フランス語のプチレッスン**
～ステッチの参考に！～

| | |
|---|---|
| ジュー<br>**JEUX** | ゲーム |
| ル・リュータン<br>**LE LUTIN** | いたずらっ子 |
| ジュエ<br>**JOUETS** | おもちゃ |

チャート：P.77

刺しゅうのサイズ：横20.5×縦23.5cm

LE LUTIN

# *Belles enseignes* ベル・オンセーニョ
## かわいい看板たち

看板はお店の顔。看板を見れば、何を扱っているのか＆どんなお店なのかがすぐに分かるもの。個性的な看板のシンボルや、しゃれた言葉遊びにハッとして、思わず立ち止ったことがあるでしょう？　もしそういう経験がないのなら、この図案を刺しゅうして埋め合わせを！小さなお店屋さんのこだわりが詰まった看板は、とてもチャーミング。

**LA PETITE HISTOIRE…**
お店にまつわるマメ知識

### 看板

　中世の時代から、看板は帰属の証として用いられました。それぞれの商人はシンボルにより、職業を明示したのです。今日でも、こうした役割を表す看板を掲げているところもありますが、さほど重要ではありません。実際、義務教育が実施される前は、多くの人は（特に田舎では）、文字が読めなかったのです。ですから、鉄で作られた看板は、商店や露店が何を扱っているかを表示する唯一の手段でした。

　分かりやすくするために、言葉遊びやナゾナゾを用いることも多かったとか。多くのオーベルジュ（宿）が「黄金のライオン（un lion d'or）」を宿の名前にしていたのは、「ベッドで眠る（au lit on dort）」という言葉にひっかけてのもの。看板は、スポットや史跡を説明したり、町の重要性をアピールする際にも用いられています。

---

**フランス語のプチレッスン**
〜ステッチの参考に！〜

| | | | |
|---|---|---|---|
| ア・ラ・クリエ<br>**A LA CRIÉE** | 卸市場 | フェルメ<br>**FERMÉ** | クローズ |
| ウーヴェール<br>**OUVERT** | オープン | ヴァン<br>**VINS** | ワイン |
| オ・サボ・ドール<br>**AU SABOT D'OR** | 金のサボ | スピリチョー<br>**SPIRITUEAUX** | 蒸留酒 |
| ショシュール・プール・ファム・エ・アンファン<br>**CHAUSSEUR POUR FEMME ET ENFANT**<br>婦人靴＆子供靴 | | ランジュリー<br>**Lingerie** | 下着 |
| | | メゾン・ロザリーヌ<br>**MAISON ROSALINE** | ロザリーヌの家 |

チャート：P.78

1cm＝11目の布地（アイダ11）50×40cm
刺しゅうのサイズ：横20.5×縦27cm
2本どり、2回刺し

À LA CRIÉE
OUVERT
AU SABOT D'OR
CHAUSSEUR
POUR
FEMME ET ENFANT
FERMÉ
VINS
SPIRITUEUX
Lingerie
MAISON ROSALINE

# *Les petites boutiques* レ・プティット・ブティック
## 小さなお店屋さん

"女の子"だったとき、小さなレジスターとプラスチックのお人形を手に、お店で何時間も遊んだはず。幼心をときめかせてくれたアイテムたちを刺しゅうして、ノスタルジックな思い出に浸って……。

**LA PETITE HISTOIRE…**
お店にまつわるマメ知識

### セルフサービス

　その昔、フランスの食料品店では、お客が自分で品物を取ることはありませんでした。グレ＝テュルパン（Goulet-Turpin）の支店が、パリ18区にセルフサービスの店をオープンさせたのは、ようやく1948年のこと。今日ではバカげたことにも思えますが、この革命は年配の人々には不評でした。ほとんどのお年寄りは、セルフで買い物するために差し出されたカゴを受け取るのを拒否したといいます。

---

**フランス語のプチレッスン**
〜ステッチの参考に！〜

| | |
|---|---|
| サロン・ドゥ・コワフュール<br>**Salon de coiffure** | 美容室 |
| エピスリー<br>**EPICERIE** | 食料品店 |
| リブレリー<br>**Librairie** | 本屋さん |
| パペトゥリー<br>**PAPETERIE** | 文房具 |

---

チャート．P.79
1cm－11目の麻布（アイボリー）：30 x 40cm
刺しゅうのサイズ．横 20.9×縦26.7cm
2本どり、2目刺し

Salon de Coiffure
EPICERIE
Librairie
PAPETERIE
SARDINES
au citron
A L'HUILE D'ARACHIDE
CONSERVERIE
la belle-iloise

# *Métiers de toujours* メティエ・ドゥ・トゥージュール
## 受け継がれる仕事

お店に来たお客さんたちに喜んでもらえるよう、心を込めて働いている店員さんたち。大忙しの店員さんたちの笑顔を刺しゅうし、あなたのお家のインテリアの中に、ベストポジションを見つけてあげて。パティスリーの売り子さんは、レシピノートの表紙にぴったり。お針子さんは、針ケースのかわいいアクセントに。カフェのギャルソンは、メニュースタンドに刺しゅうしてエレガントにしてはいかが？

### LE SAVIEZ-VOUS ?
ご存知でしたか？

### 失われた職業

　残念なことに、職人の手仕事は次第に数が減り、マシンやロボットに取って代わられることもしばしば。時の流れと共に、たくさんの職業が名前を変えたり、完全に姿を消しました。

昔はよく見かけた職業：
− 歩測士
− 長持ちや櫃の製造職人
− サボ（木靴）職人
− 筆記具用の羽を裁断する職人
− 車大工（荷車の製造職人）
− 毛糸をほぐす職人
− 雑草を根こぎする職人
……100年後には、あなたの職業も名称が変わっているかも。

### フランス語のプチレッスン
～ステッチの参考に！～

| | |
|---|---|
| ア・ポ・ブーケ<br>à pots bouquets | 鉢植え |
| ギャルソン<br>GARÇON | ウェイター |
| クチュリエール<br>COUTURIERE | お針子 |
| ヴァンドゥール<br>VENDEUR | 売り子（男性） |
| ヴァンドゥーズ<br>VENDEUSE | 売り子（女性） |

チャート：P.80
1cm＝11目の麻布（アイボリー）130×40cm
刺しゅうのサイズ：横22×縦26.9cm
2本どり、2目刺し

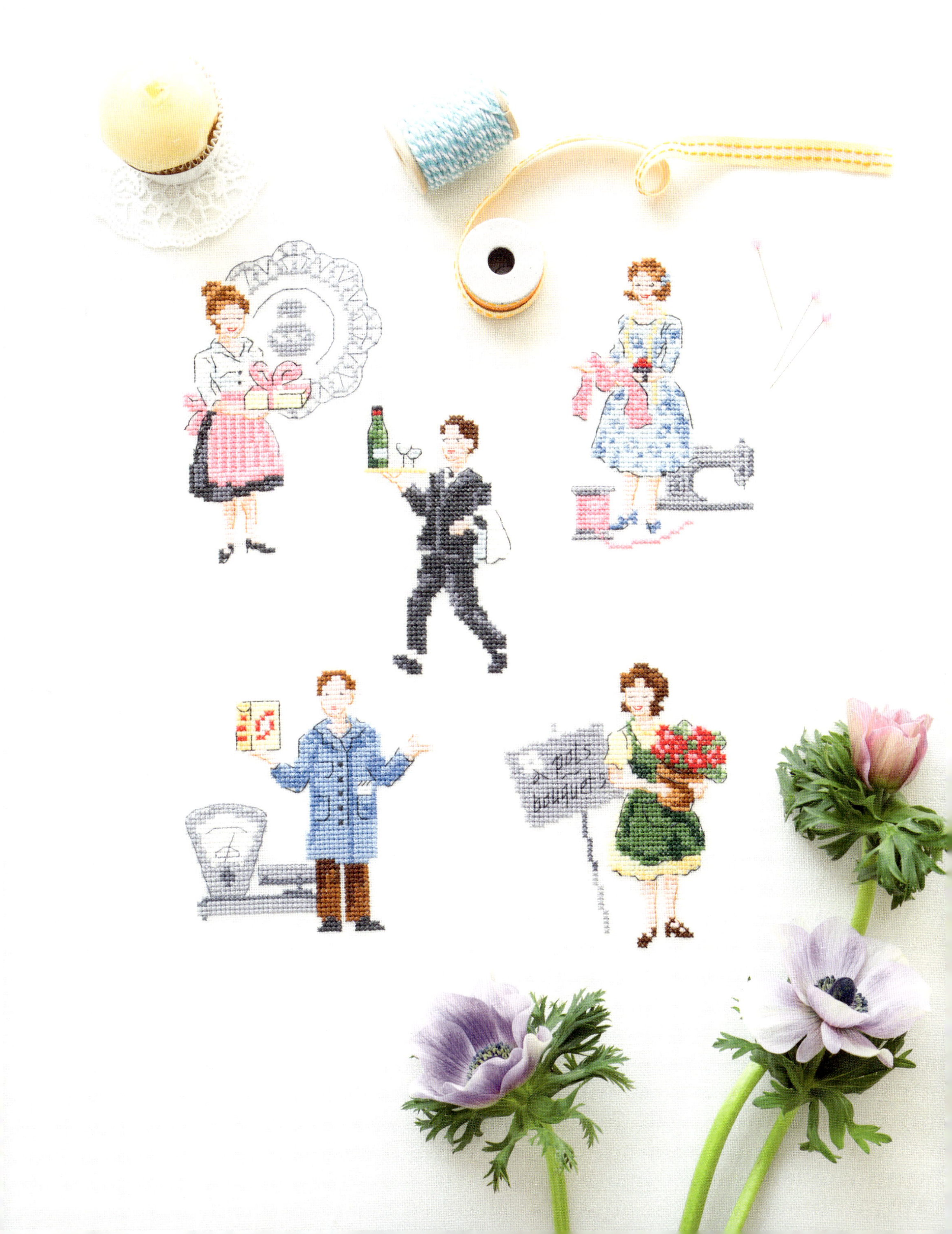

## Rue du commerce リュ・デュ・コメルス
## 商店街

商店街はきらびやかで、なんといっても魅力的。
お店を1店舗ずつステッチしながら、それぞれの外観からどんなお店なのか想像して。
アルファベットのモチーフやP.82〜83のチャートを参照して、大好きな道を刺しゅうして。お散歩気分でちくちくステッチしてみては？

チャート：P. 82-83

1cm = 11目の麻布（アイボリー）：60×30cm

刺しゅうのサイズ：横41.5×縦12.4cm

2本どり、2目刺し

59

## Les grilles
チャート

本書では、クロスステッチは2本どり2目刺し、バックステッチ、ハーフステッチ、フレンチノットは1本どりで刺しゅうしています。糸の本数について指定がある場合は、各チャートに明記してあります。

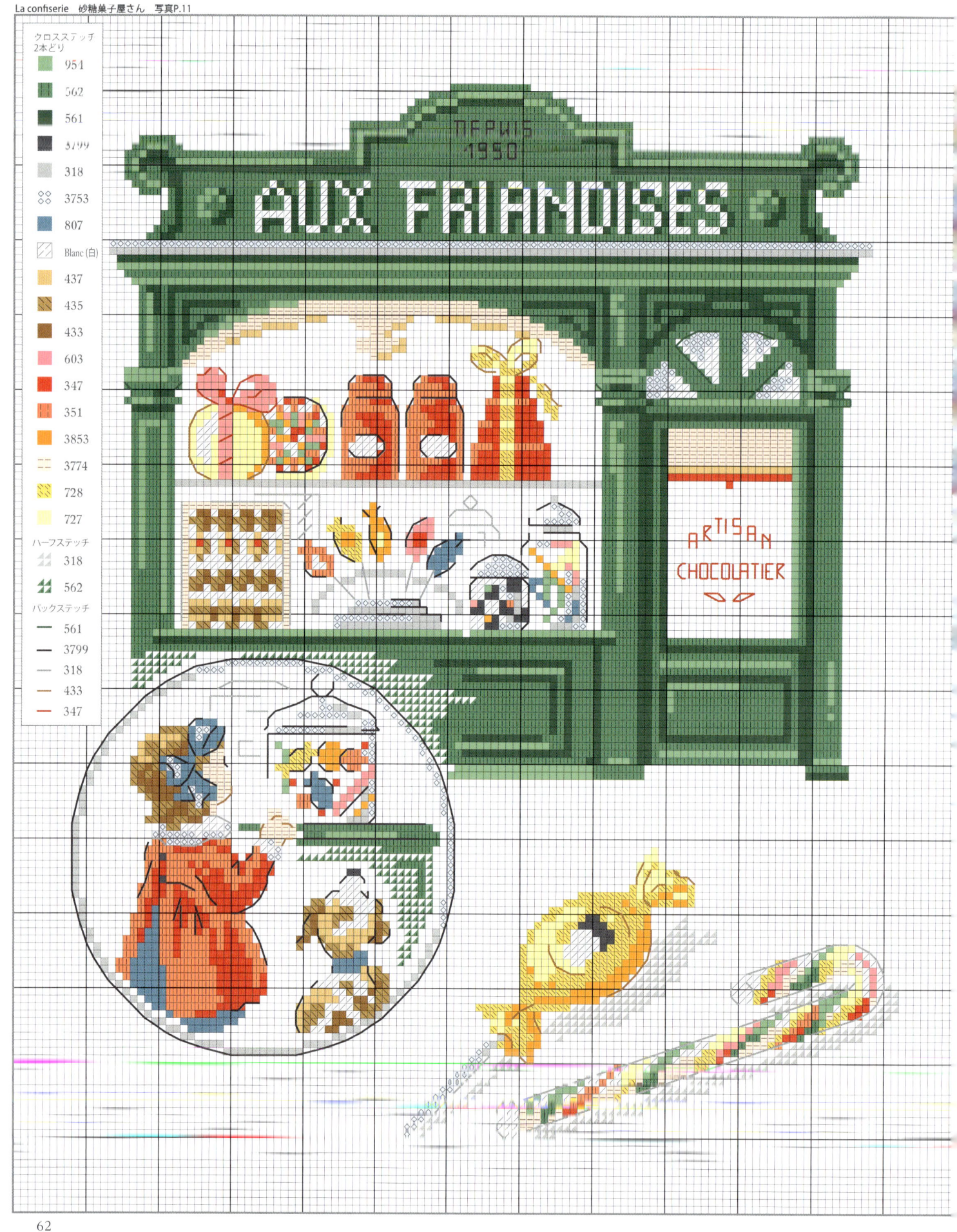

La confiserie 砂糖菓子屋さん 写真P.11

**クロスステッチ**
**2本どり**

| | |
|---|---|
| | 954 |
| | 562 |
| | 561 |
| | 3799 |
| | 318 |
| | 3753 |
| | 807 |
| | Blanc (白) |
| | 437 |
| | 435 |
| | 433 |
| | 603 |
| | 347 |
| | 351 |
| | 3853 |
| | 3774 |
| | 728 |
| | 727 |

**ハーフステッチ**

| | |
|---|---|
| | 318 |
| | 562 |

**バックステッチ**

| | |
|---|---|
| — | 561 |
| — | 3799 |
| — | 318 |
| — | 433 |
| — | 347 |

62

La pâtisserie　お菓子屋さん　写真P.13

# PATISSERIE

## Les Délices

### Salon de thé

**クロスステッチ**
**2本どり**

- 800
- 809
- 3838
- 158
- 745
- 3821
- 3852
- 913
- 437
- 435
- 433
- 553
- 605
- 603
- 602
- 326
- Blanc (白)

- 415
- 414
- 3799

**バックステッチ**
- 158
- 3852
- 433
- 602
- 326
- 3799

**フレンチノット**
- 3838
- 553

63

La boulangerie  パン屋さん  写真P.15

BOULANGERIE

| | |
|---|---|
| クロスステッチ 2本どり | |
| ■ | 815 |
| ▬ | 347 |
| ▬ | 351 |
| ■ | 310 |
| | 563 |
| ✕✕ | 772 |
| | 3821 |
| ‖‖ | 745 |
| ═ | 712 |
| ╲╲ | 3863 |
| ▨ | 801 |
| ▨ | 434 |
| ╱╱ | 436 |
| ╲╲ | 738 |
| | 162 |
| クロスステッチ 1本どり | |
| ▨▨ | 3721 |
| ✳✳ | 3778 |
| ╱╱ | 3779 |
| | 318 |
| バックステッチ | |
| — | 815 |
| — | 3821 |
| — | 801 |
| — | 436 |
| — | 318 |

Détail de vitrine　ショーウインドーの風景　P.17〜19

**PAINS SPECIAUX**

**TRADITION**

クロスステッチ
2本どり

| | |
|---|---|
| ▨ | 898 |
| ■ | 434 |
| ▨ | 436 |
| ▭ | 738 |
| ▧ | 3829 |
| ▨ | 3821 |
| ▥ | 745 |
| ▨ | 945 |
| ▨ | 3721 |
| ▨ | 3778 |
| ▨ | 562 |
| ▨ | 563 |
| ▨ | 772 |
| ▨ | 162 |
| ■ | 310 |
| ▨ | 3864 |
| ▨ | 3862 |
| □ | Blanc (白) |

ハーフステッチ
▨ 318

バックステッチ
— 898
— 3829

65

Le bistro ビストロ 写真P.21

CAFE-RESTAURANT

AU BISTROT DU COIN

TELEPHONE　LIQUEURS　CASSE CROUTE

| | |
|---|---|
| クロスステッチ 2本どり | |
| ▨ | 729 |
| | 676 |
| | 3064 |
| | 951 |
| | 801 |
| | 301 |
| | 402 |
| | 775 |
| | 319 |
| | 987 |
| | 164 |
| | 3799 |
| | 414 |
| | 415 |
| ▨ | Blanc (白) |

バックステッチ
　415

バックステッチ
── 3064
── 801
── 3799

バックステッチ 2本どり
── 775

66

La glacier　アイスクリーム屋さん　写真P.23

| クロスステッチ 2本どり | |
|---|---|
| | 3805 |
| | 603 |
| | 605 |
| | 955 |
| | 3766 |
| | 931 |
| | 3799 |
| | 414 |
| | 415 |
| | Blanc (白) |
| | 3823 |
| | 738 |
| | 436 |
| | 434 |
| | 3821 |
| | 727 |

| ハーフステッチ | |
|---|---|
| | 415 |

| バックステッチ | |
|---|---|
| | 3805 |
| | 931 |
| | 3799 |
| | 738 |
| | 434 |

67

La boucherie　お肉屋さん　写真P.25〜27

クロスステッチ
2本どり
- 3685
- 3350
- 335
- 604
- 963

クロスステッチ
1本どり
- 335
- 604

ハーフステッチ
- 604

バックステッチ
- 3685
- 3350

BOUCHERIE
CHARCUTERIE
VOLAILLE

68

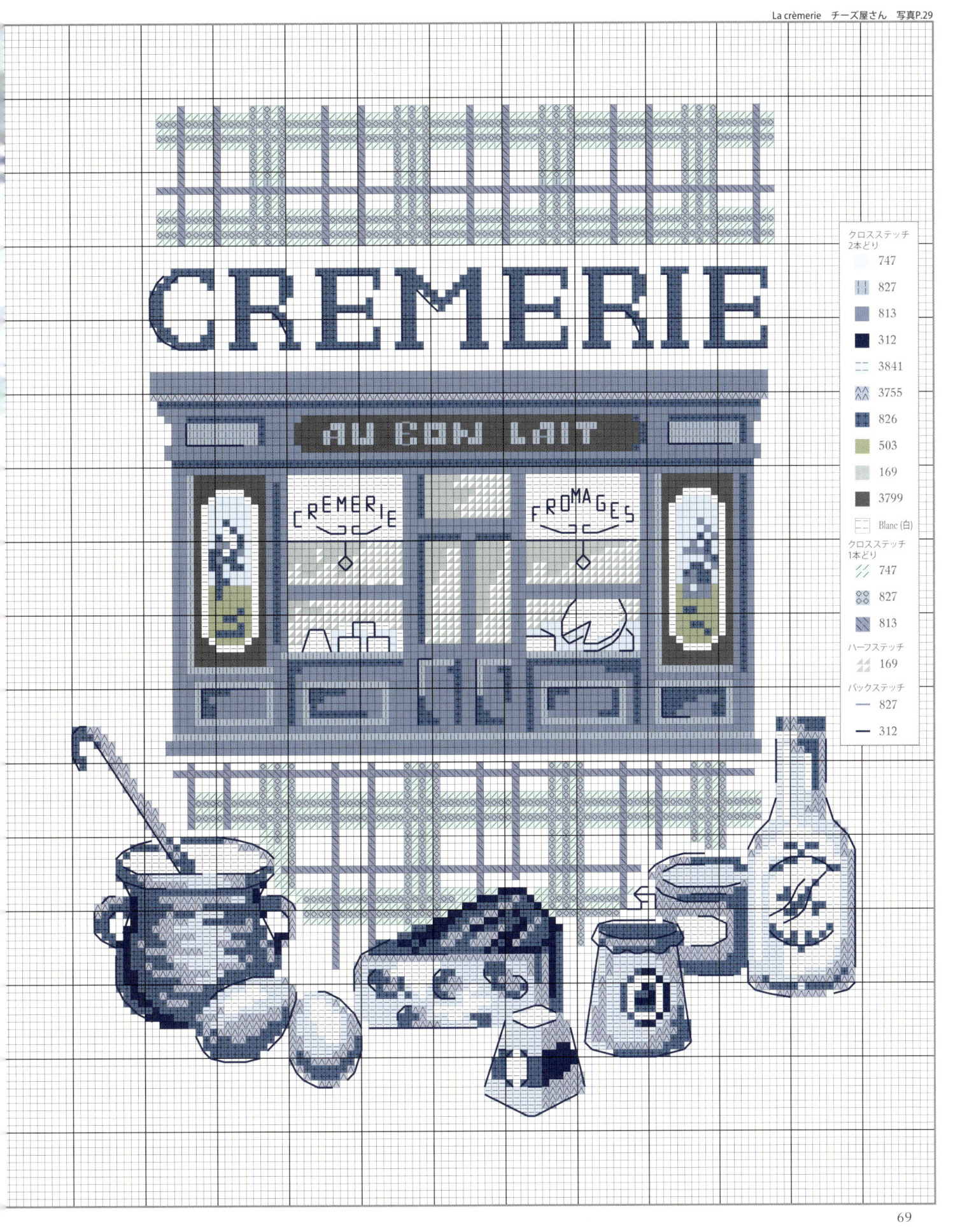

La crèmerie  チーズ屋さん  写真P.29

| | |
|---|---|
| クロスステッチ 2本どり | |
| | 747 |
| | 827 |
| | 813 |
| | 312 |
| | 3841 |
| | 3755 |
| | 826 |
| | 503 |
| | 169 |
| | 3799 |
| | Blanc (白) |
| クロスステッチ 1本どり | |
| | 747 |
| | 827 |
| | 813 |
| ハーフステッチ | |
| | 169 |
| バックステッチ | |
| | 827 |
| | 312 |

クロスステッチ
2本どり

- 3608
- 3607
- 552
- 326
- 351
- 3854
- 726
- 445
- 437
- 3862
- 598
- 164
- 988
- 986
- 562
- 564
- 3799
- 318
- Blanc (白)

ハーフステッチ

- 598
- 3799
- 318

バックステッチ

- 3799
- 318
- Blanc (白)

フレンチノット

- Blanc (白)

La fleuriste　お花屋さん　写真P.33〜35

| クロスステッチ 2本どり | |
|---|---|
| | 964 |
| | 992 |
| | 561 |
| | 987 |
| | 989 |
| | 209 |
| | 333 |
| | 326 |
| | 3832 |
| | 760 |
| | 761 |
| | 3823 |
| | 744 |
| | 728 |
| | 3776 |

| | |
|---|---|
| | 975 |
| | 435 |
| | Blanc (白) |
| | 414 |
| | 415 |
| | 3799 |

ハーフステッチ
| | |
|---|---|
| | 414 |
| | 415 |

バックステッチ
| | |
|---|---|
| | 561 |
| | 326 |
| | 975 |
| | 414 |
| | 3799 |

フレンチノット
| | |
|---|---|
| • | 3799 |

chez Florette

La boîte

compositions pour mariages et cérémonies

71

La parfumerie 香水屋さん P.37

| | | |
|---|---|---|
| クロスステッチ 2本どり | | |
| ■ | 3829 | |
| ▨ | 729 | |
| ○○ | 676 | |
| | 0070 | |
| ⁄⁄ | 948 | |
| ■ | 353 | |
| ■ | 553 | |
| ■ | 3607 | |
| ■ | 603 | |
| ⊞ | 605 | |
| ■ | 955 | |
| ▨ | 954 | |
| ^^ | 3841 | |
| ▨ | 932 | |
| | Blanc (白) | |
| ■ | 415 | |
| ▨ | 414 | |
| ■ | 3799 | |
| バックステッチ | | |
| — | 3829 | |
| — | 3799 | |

La modiste 帽子屋さん 写真P.39〜41

| | |
|---|---|
| クロスステッチ 2本どり | |
| ■ | 931 |
| ■ | 3766 |
| ∞ | 747 |
| ■ | 605 |
| ■ | 3608 |
| ∥ | 948 |
| ■ | 754 |
| ▲ | 3064 |
| ■ | 632 |
| ■ | 3799 |
| ■ | 414 |
| ▨ | 415 |
| ニ | Blanc (白) |
| ハーフステッチ | |
| ▲ | 414 |
| ▲ | 415 |
| ▲ | 3608 |
| ▲ | 754 |
| ▲ | 3064 |
| バックステッチ | |
| — | 931 |
| — | 632 |
| — | 3799 |
| — | 414 |
| — | 3607 |

73

La mercerie 手芸屋さん 写真P.43

| | クロスステッチ 2本どり |
|---|---|
| ■ | 326 |
| ▨ | 3832 |
| ■ | 760 |
| ▦ | 3716 |
| ▨ | 729 |
| ∧∧ | 676 |
| | 3078 |
| ▨ | 744 |
| | 800 |
| ▥ | 809 |
| ▨ | 3838 |
| ▨ | 164 |
| ▩ | 913 |
| ▥ | 3864 |
| ▨ | 3863 |

patrons et fournitures
pour Layette

| | |
|---|---|
| ■ | 3021 |
| ▨ | 414 |
| ▨ | 415 |
| □ | Blanc (白) |

ハーフステッチ
| ▥ | 3864 |
| ≈ | 415 |

バックステッチ
— 326
— 3832
— 729
— 809
— 3021

74

La quincaillerie　金物屋さん　写真P.45

クロスステッチ
2本どり
- 727
- 725
- 3852
- 3823
- 738
- 3863
- 839
- 351
- 326
- 993
- 3848
- 518
- 519
- 3841
- 3799
- 414

- 415
- Blanc (白)

バックステッチ
- 3852
- 3863
- 839
- 3799
- 414

Le bazar de plage　海辺のマーケット　写真P.47〜49

**SOUVENIRS BAZAR DU PORT ARTICLES DE PLAGE**

| クロスステッチ 2本どり | | ハーフステッチ | |
|---|---|---|---|
| 754 | 725 | 813 | |
| 818 | Blanc (白) | 415 | |
| 603 | 827 | バックステッチ | |
| 347 | 813 | 347 | |
| 351 | 825 | 435 | |
| 352 | 702 | 825 | |
| 433 | 954 | 3799 | |
| 435 | 3799 | Blanc (白) | |
| 437 | 415 | | |

76

Le magasin de jouets　おもちゃ屋さん　写真P.51

77

Belles enseignes　かわいい看板たち　写真P.53

À LA CRIÉE

AU SABOT D'OR
CHAUSSEUR
POUR
FEMME ET ENFANT

Ouvert

Fermé

VINS
SPIRITUEUX

Lingerie
MAISON ROSALINE

| クロスステッチ 2本どり | | | | バックステッチ | |
|---|---|---|---|---|---|
| ■ 3799 | | ■ 3863 | | | |
| ■ 3831 | | ■ 318 | | — 3831 | |
| ■ 3733 | | ▨ 415 | | — 3799 | |
| = 747 | | □ Blanc (白) | | — 3863 | |
| ■ 993 | | ▨ 712 | | | |
| ■ 3810 | | ▨ 3864 | | | |

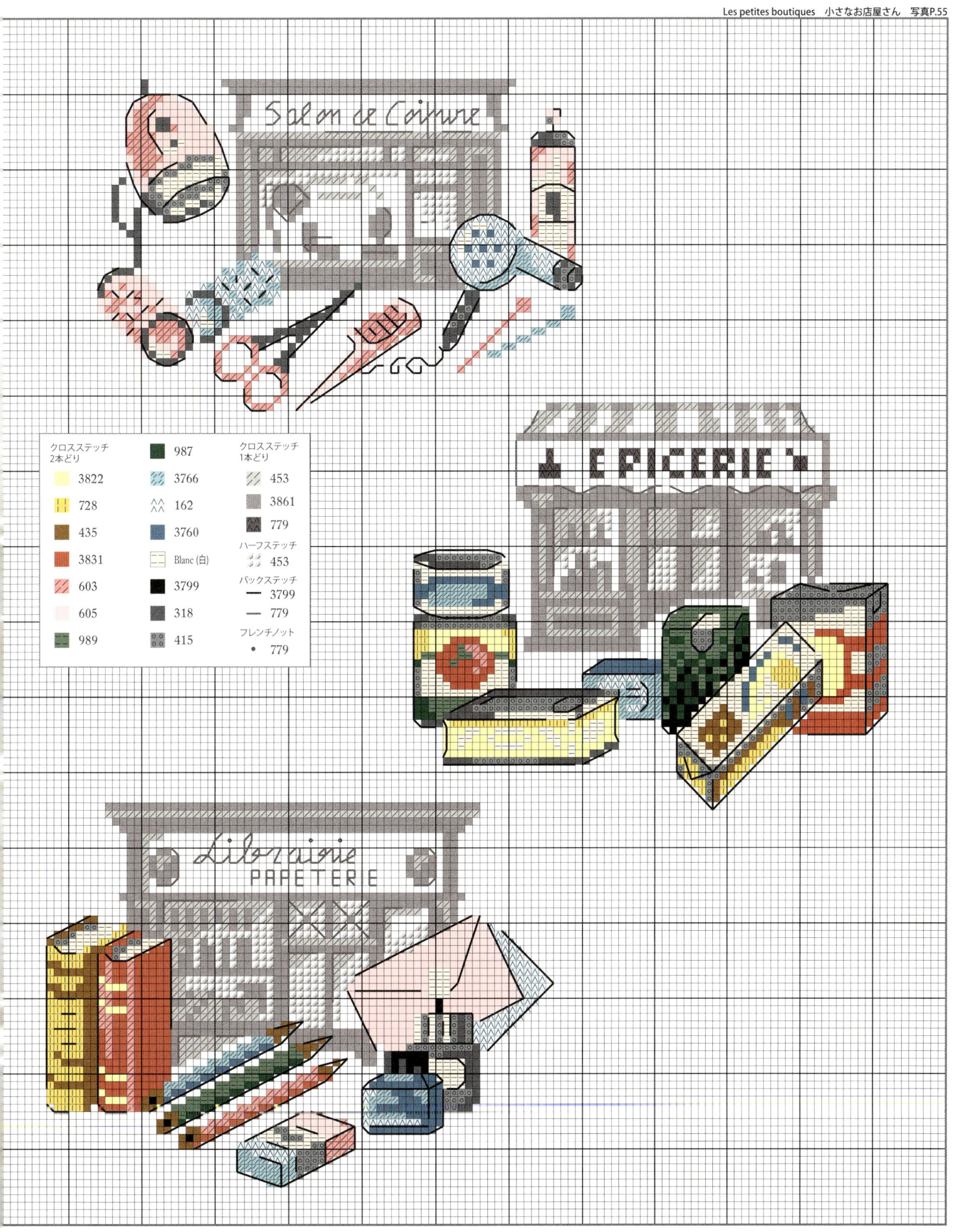

Les petites boutiques 小さなお店屋さん 写真P.55

| クロスステッチ 2本どり | | | クロスステッチ 1本どり |
|---|---|---|---|
| 3822 | | 987 | 453 |
| 728 | ^^ | 162 | 3861 |
| 435 | | 3760 | 779 |
| 3831 | | Blanc (白) | ハーフステッチ 453 |
| 603 | | 3799 | バックステッチ — 3799 |
| 605 | | 318 | — 779 |
| 989 | | 415 | フレンチノット ● 779 |

Métiers de toujours　色々な仕事と店員さんたち　写真P.57

| クロスステッチ 2本どり | | |
|---|---|---|
| 818 | 605 | |
| 754 | 435 | |
| 3822 | 433 | |
| 3078 | 898 | |
| 3831 | 319 | |
| 603 | 987 | |

| | | | |
|---|---|---|---|
| 989 | | 317 | |
| Blanc (白) | | 318 | |
| 162 | | バックステッチ | |
| 813 | | — 3831 | |
| 826 | | — 435 | |
| 3799 | | — 3799 | |
| | | — 317 | |
| | | フレンチノット | |
| | | • 3799 | |

80

Salon de thé ティーサロン 表紙写真

81

rue du commerce 商店街 写真 P.58~59

クロスステッチ
2本どり
- 807
- 322
- 993
- 907
- 3831
- 351
- 3854
- 744
- 435
- 3799
- 414
- Blanc (白)

82

クロスステッチ
1本どり

- 414
- 932
- 3753
- 453

ハーフステッチ
- 414

バックステッチ
- 322
- 3831
- 3799
- Blanc

フレンチノット
- 3799

**10 Arr**
RUE DES FLEURS

**20·Ar.**
PLACE DES MARAÎCHERS

abcdefghijkl
mnopqrstu
vwxyz

0123456789

NOPQRSTUVWXYZ

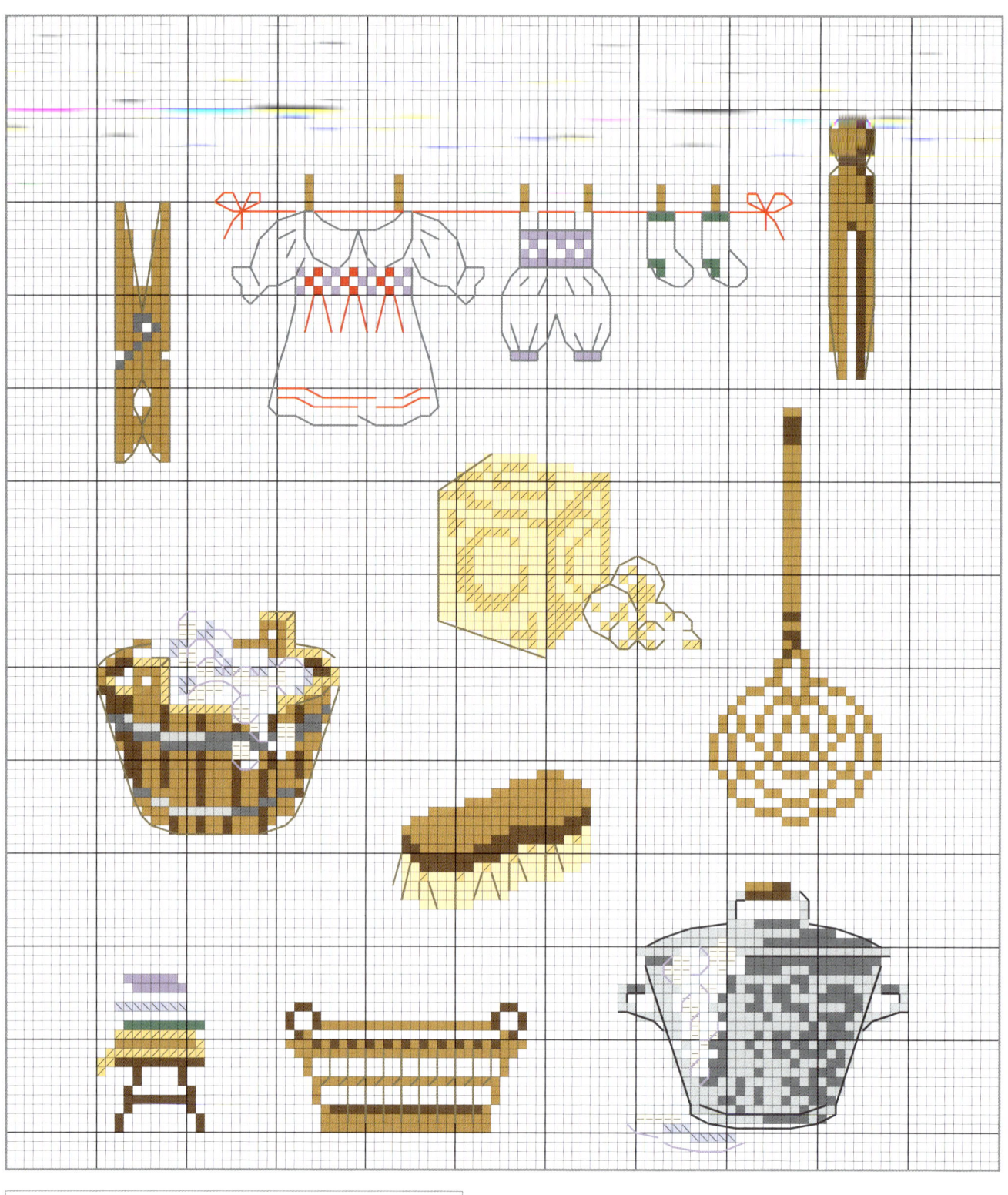

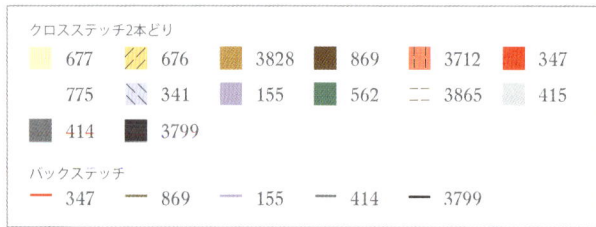

クロスステッチ2本どり

| | 677 | | 676 | | 3828 | | 869 | | 3712 | | 347 |
|---|---|---|---|---|---|---|---|---|---|---|---|
| | 775 | | 341 | | 155 | | 562 | | 3865 | | 415 |
| | 414 | | 3799 | | | | | | | | |

バックステッチ
— 347　— 869　— 155　— 414　— 3799

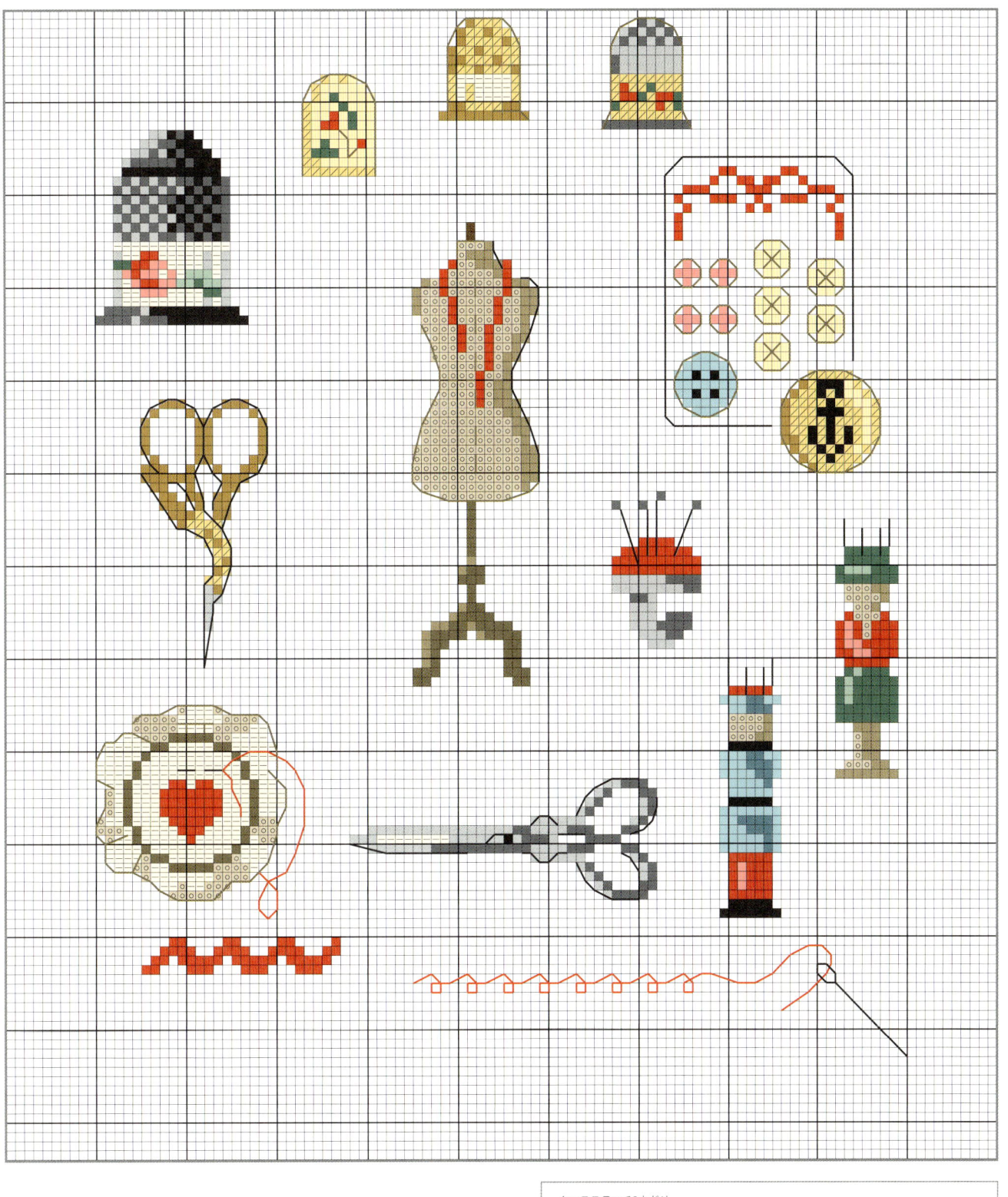

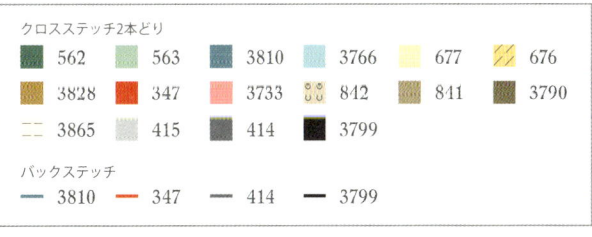

クロスステッチ2本どり

| | | | | | | |
|---|---|---|---|---|---|---|
| 562 | 563 | 3810 | 3766 | 677 | 676 | |
| 3828 | 347 | 3733 | 842 | 841 | 3790 | |
| 3865 | 415 | 414 | 3799 | | | |

バックステッチ
— 3810  — 347  — 414  — 3799

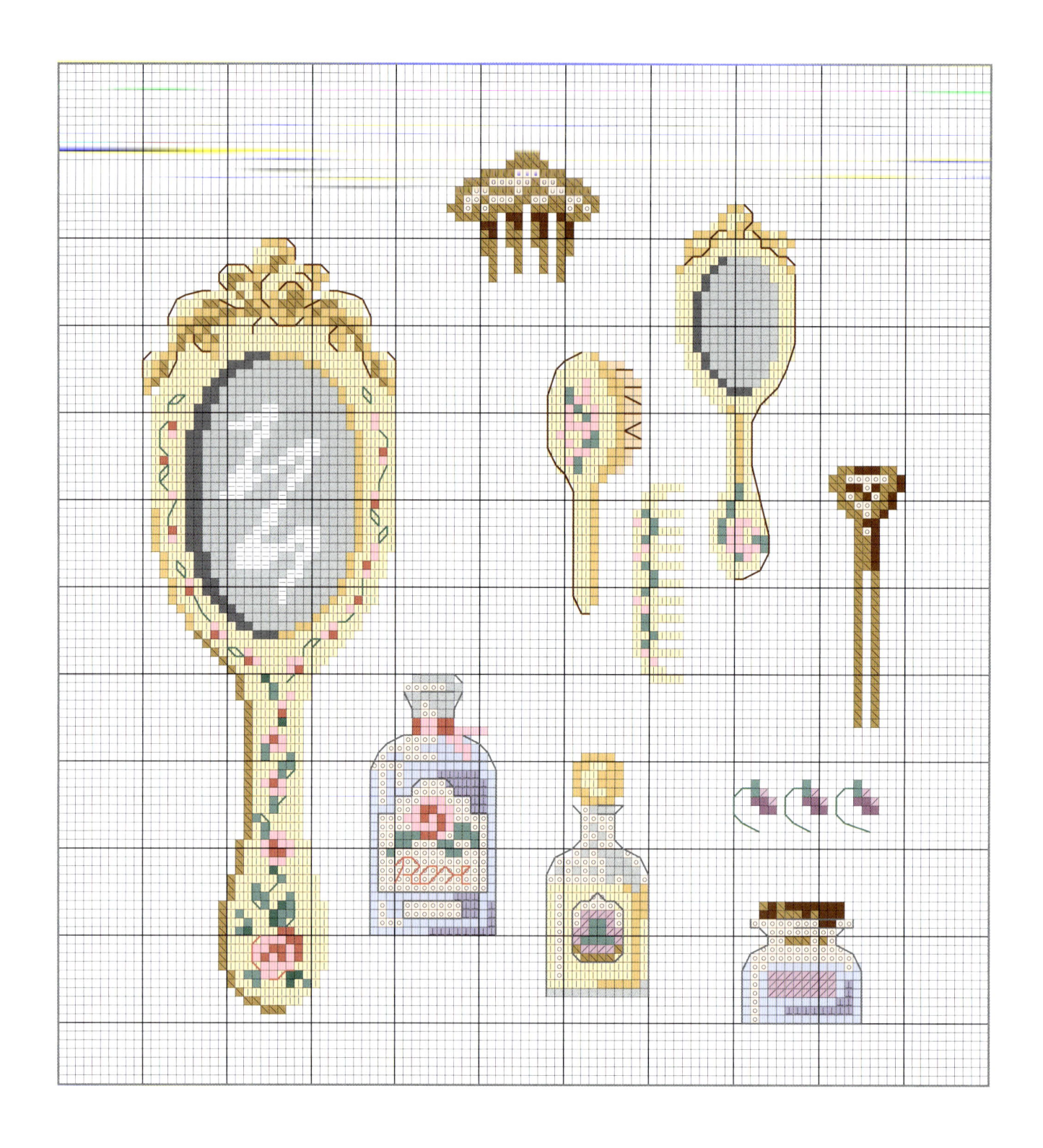

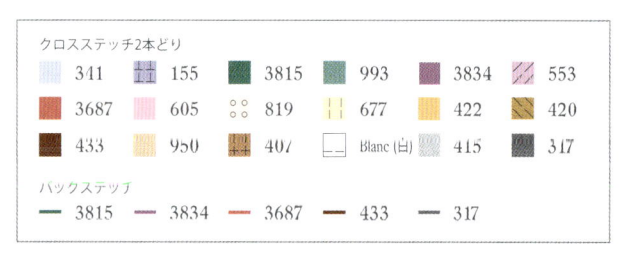

| クロスステッチ2本どり | | | | | | |
|---|---|---|---|---|---|---|
| 341 | 155 | 3815 | 993 | 3834 | 553 | |
| 3687 | 605 | 819 | 677 | 422 | 420 | |
| 433 | 950 | 407 | Blanc (白) | 415 | 317 | |

バックステッチ
— 3815　— 3834　— 3687　— 433　— 317

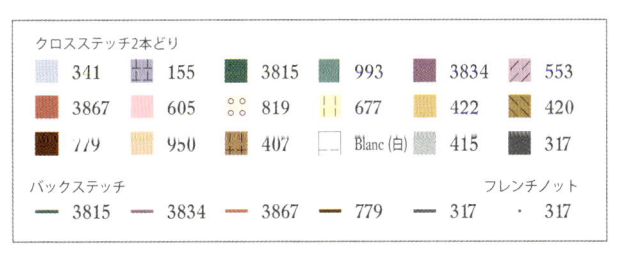

| クロスステッチ2本どり | | | | | |
|---|---|---|---|---|---|
| 341 | 155 | 3815 | 993 | 3834 | 553 |
| 3867 | 605 | 819 | 677 | 422 | 420 |
| 779 | 950 | 407 | Blanc (白) | 415 | 317 |

バックステッチ
— 3815　— 3834　— 3867　— 779　— 317

フレンチノット
・ 317

87

88

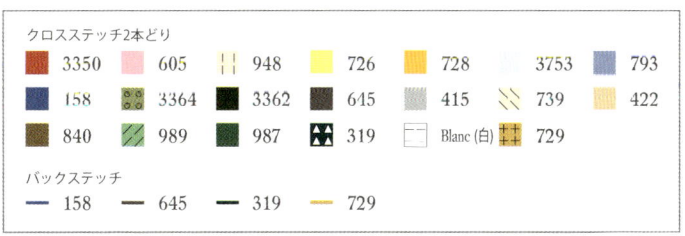

| クロスステッチ2本どり | | | | | | | |
|---|---|---|---|---|---|---|---|
| 3350 | 605 | 948 | 726 | 728 | 3753 | 793 | |
| 158 | 3364 | 3362 | 645 | 415 | 739 | 422 | |
| 840 | 989 | 987 | 319 | Blanc (白) | 729 | | |

バックステッチ
— 158  — 645  — 319  — 729

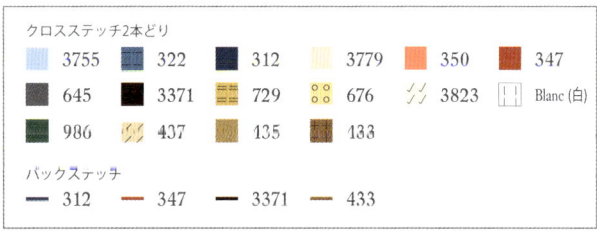

| | | | | | | |
|---|---|---|---|---|---|---|
| クロスステッチ2本どり | | | | | | |
| 3755 | 322 | 312 | 3779 | 350 | 347 | |
| 645 | 3371 | 729 | 676 | 3823 | Blanc (白) | |
| 986 | 437 | 135 | 433 | | | |

バックステッチ
— 312  — 347  — 3371  — 433

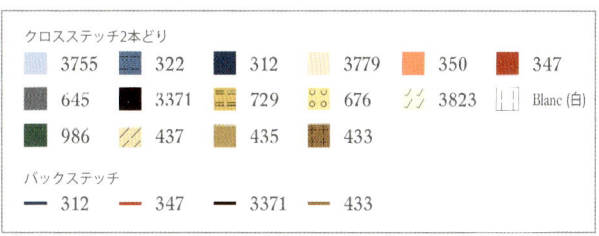

| | | | | | |
|---|---|---|---|---|---|
| クロスステッチ2本どり | | | | | |
| 3755 | 322 | 312 | 3779 | 350 | 347 |
| 645 | 3371 | 729 | 676 | 3823 | Blanc (白) |
| 986 | 437 | 435 | 433 | | |

バックステッチ
— 312　— 347　— 3371　— 433

| | | | | | | | |
|---|---|---|---|---|---|---|---|
| クロスステッチ2本どり | | | | | | | |
| 948 | 754 | 3831 | 777 | 3837 | 368 | 987 | |
| 677 | 977 | 436 | 3865 | 415 | 414 | 3799 | |
| 434 | 3841 | 3755 | 322 | 311 | | | |

バックステッチ
— 987  — 977  — 3799  — 434  — 311

92

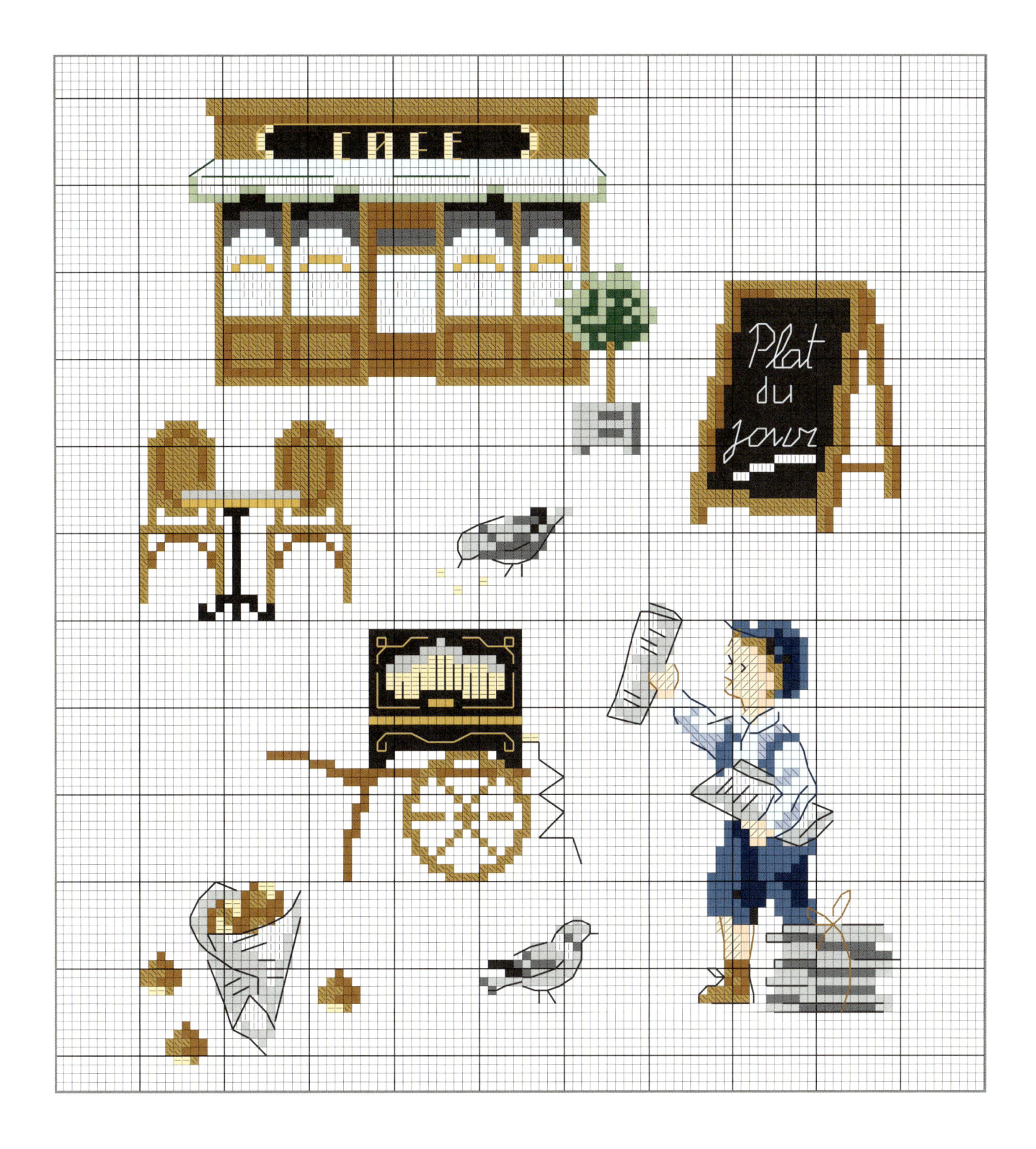

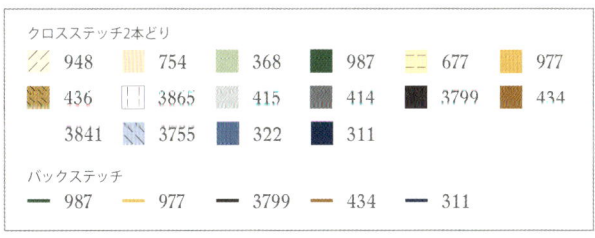

| | | | | | |
|---|---|---|---|---|---|
クロスステッチ2本どり
| 948 | 754 | 368 | 987 | 677 | 977 |
| 436 | 3865 | 415 | 414 | 3799 | 434 |
| 3841 | 3755 | 322 | 311 | | |

バックステッチ
— 987　— 977　— 3799　— 434　— 311

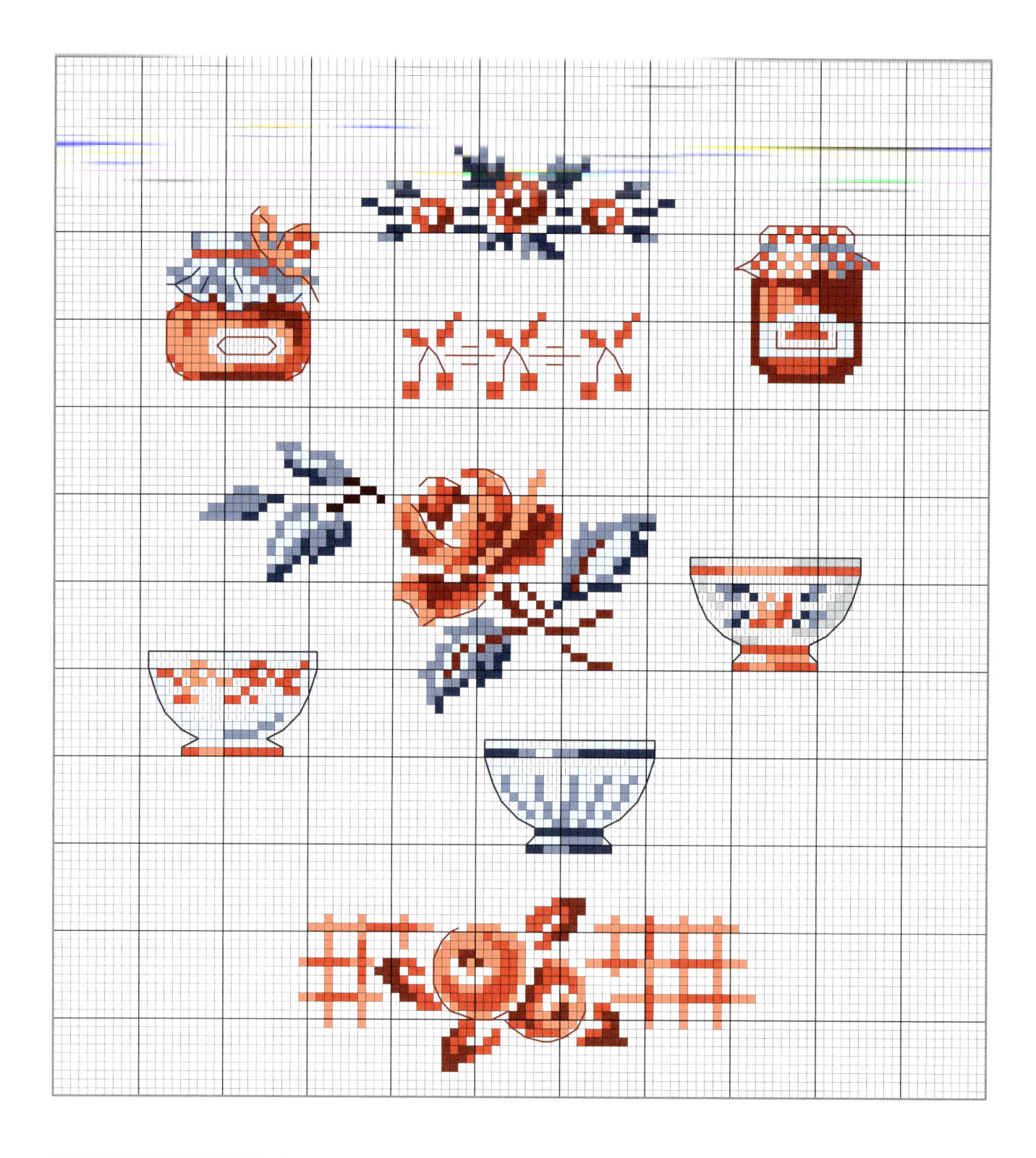

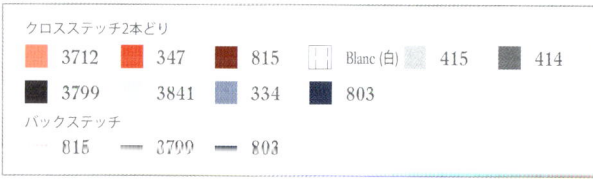

クロスステッチ2本どり

| | | | | | | |
|---|---|---|---|---|---|---|
| 3712 | 347 | 815 | Blanc (白) | 415 | 414 | |
| 3799 | 3841 | 334 | 803 | | | |

バックステッチ
815　3799　803

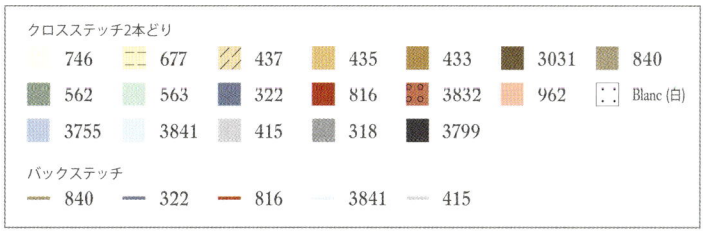

| | | | | | | | |
|---|---|---|---|---|---|---|---|
クロスステッチ2本どり
| 746 | 677 | 437 | 435 | 433 | 3031 | 840 |
| 562 | 563 | 322 | 816 | 3832 | 962 | Blanc (白) |
| 3755 | 3841 | 415 | 318 | 3799 | | |

バックステッチ
— 840  — 322  — 816  — 3841  — 415

95

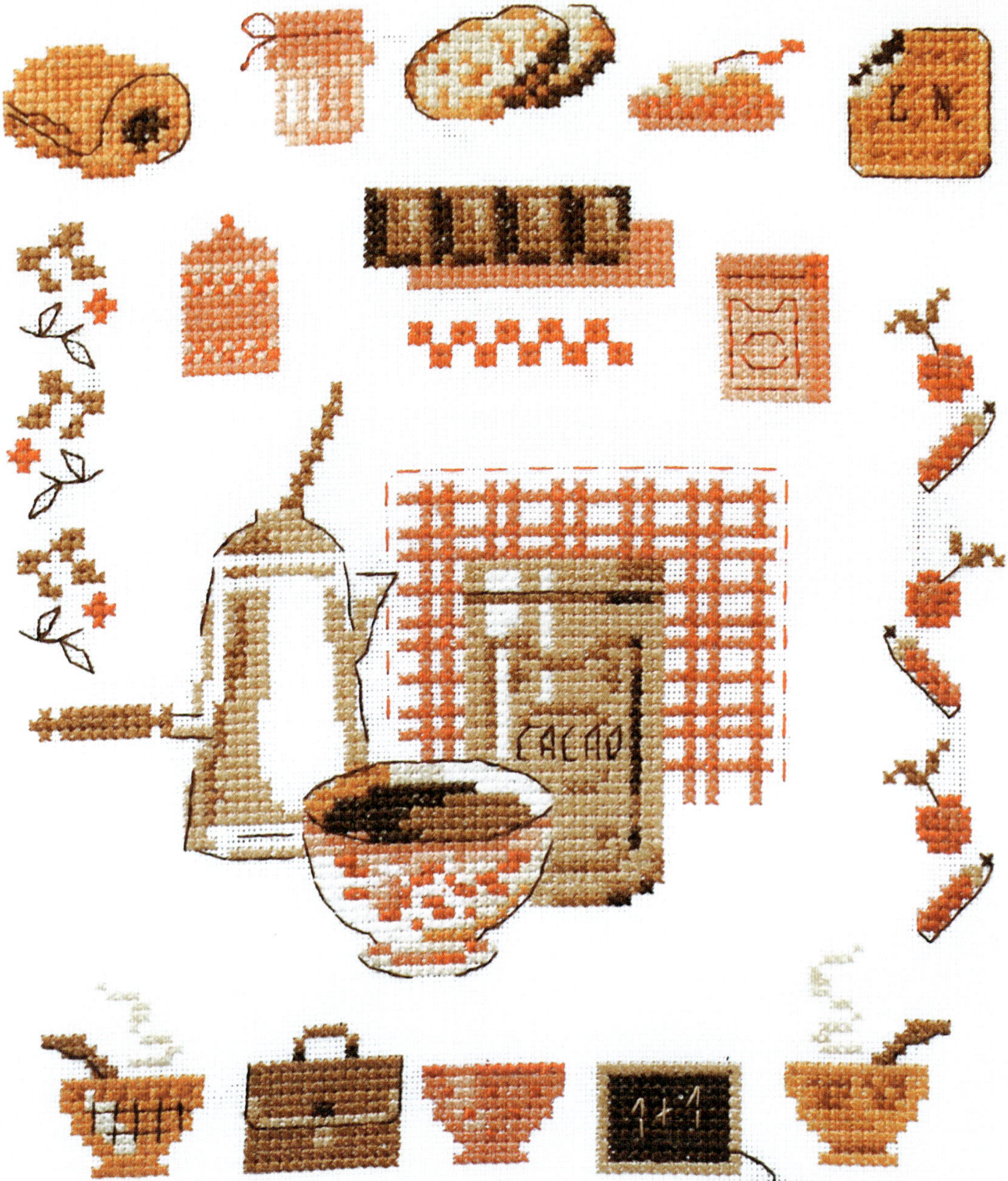
CACAO

97

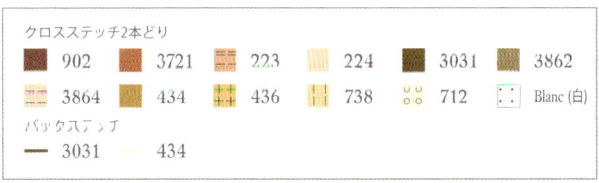

98

| クロスステッチ2本どり | | | | | | | | | | | | | | | |
|---|---|---|---|---|---|---|---|---|---|---|---|---|---|---|---|
| 156 | 3807 | 3348 | 3347 | 963 | 603 | 3350 | 677 |
| 422 | 611 | B5200 | 3821 | 3852 | 762 | 168 | 169 |
| 413 | | | | | | | |

バックステッチ
— 156  — 3807  — 3347  — 603  — 3350  — 3821  — 168  — 169

99

| | | |
|---|---|---|
| クロスステッチ2本どり | | |
| 3328 | 816 | 727 | 3821 | 680 | 738 |
| 436 | 434 | 801 | 988 | 3841 | 3755 |
| 312 | 762 | 415 | 414 | 3799 | |

バックステッチ
— 816    762    — 414

101

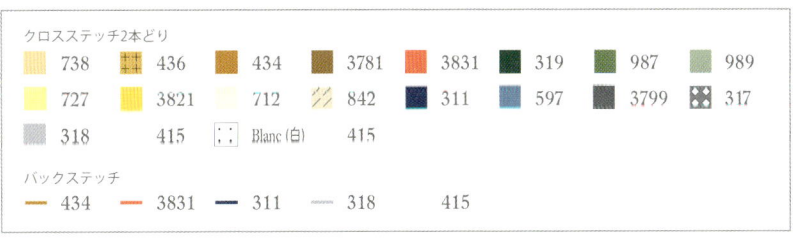

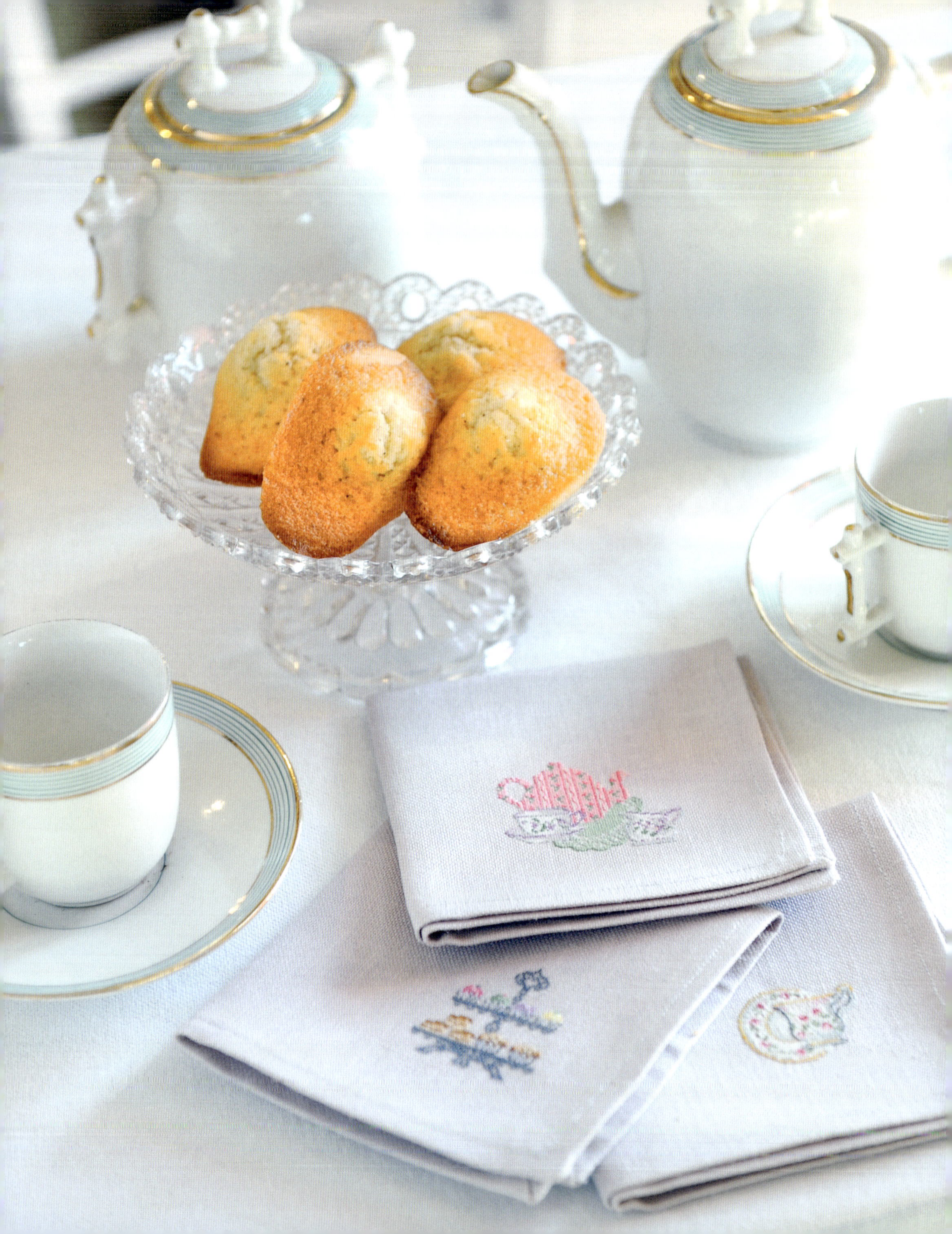

| クロスステッチ2本どり | | | | | |
|---|---|---|---|---|---|
| 164 | 800 | 554 | 963 | 988 | 809 |
| 553 | 604 | 3805 | Blanc (白) | 726 | 3743 |

バックステッチ
— 988  — 809  — 3805  — 317

103

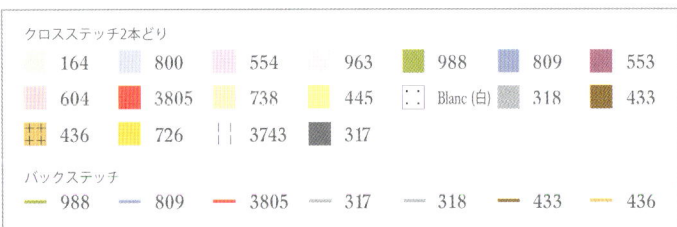

| クロスステッチ2本どり | | | | | | | | |
|---|---|---|---|---|---|---|---|---|
| | 164 | 800 | 554 | 963 | 988 | 809 | 553 | |
| | 604 | 3805 | 738 | 445 | Blanc (白) | 318 | 433 | |
| | 436 | 726 | 3743 | 317 | | | | |

バックステッチ
— 988  — 809  — 3805  — 317  — 318  — 433  — 436

104

| | | | | | | | | |
|---|---|---|---|---|---|---|---|---|
| クロスステッチ2本どり | | | | | | | | |
| ∴ Blanc (白) | 415 | 704 | 905 | 350 | 3064 | 632 | 898 | |
| 434 | 436 | 347 | 602 | 604 | 518 | 3766 | 3820 | |
| 3822 | 3823 | 3855 | 722 | | | | | |
| バックステッチ | | | | | | | | |
| — 3064 | — 898 | — 436 | — 347 | | | | | |

105

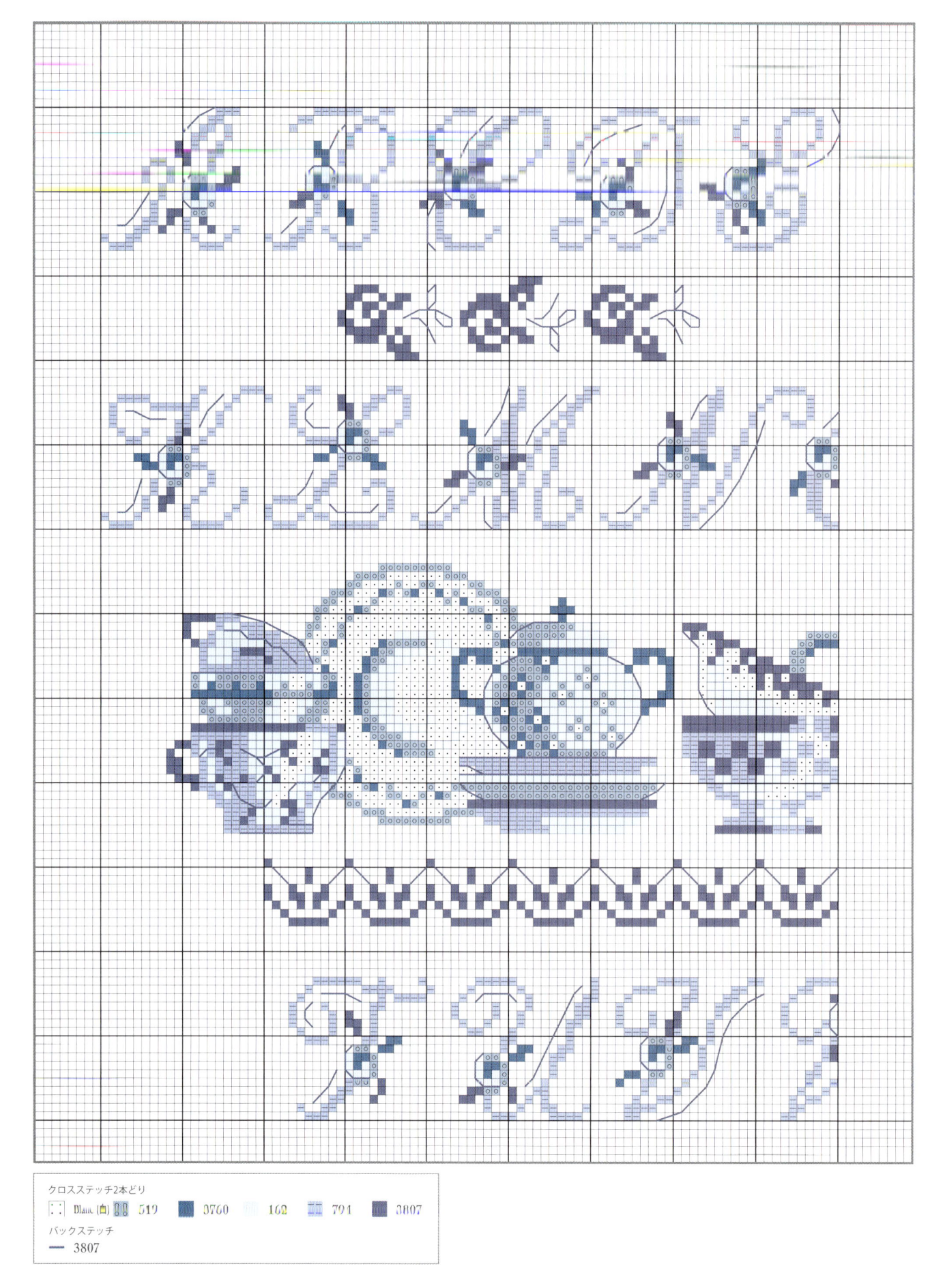

クロスステッチ2本どり
Blanc(白) 519 3760 162 794 3807

バックステッチ
— 3807

106

クロスステッチ2本どり

Blanc (白) 　519　　3760　　162　　794　　3807

バックステッチ
— 3807

107

108

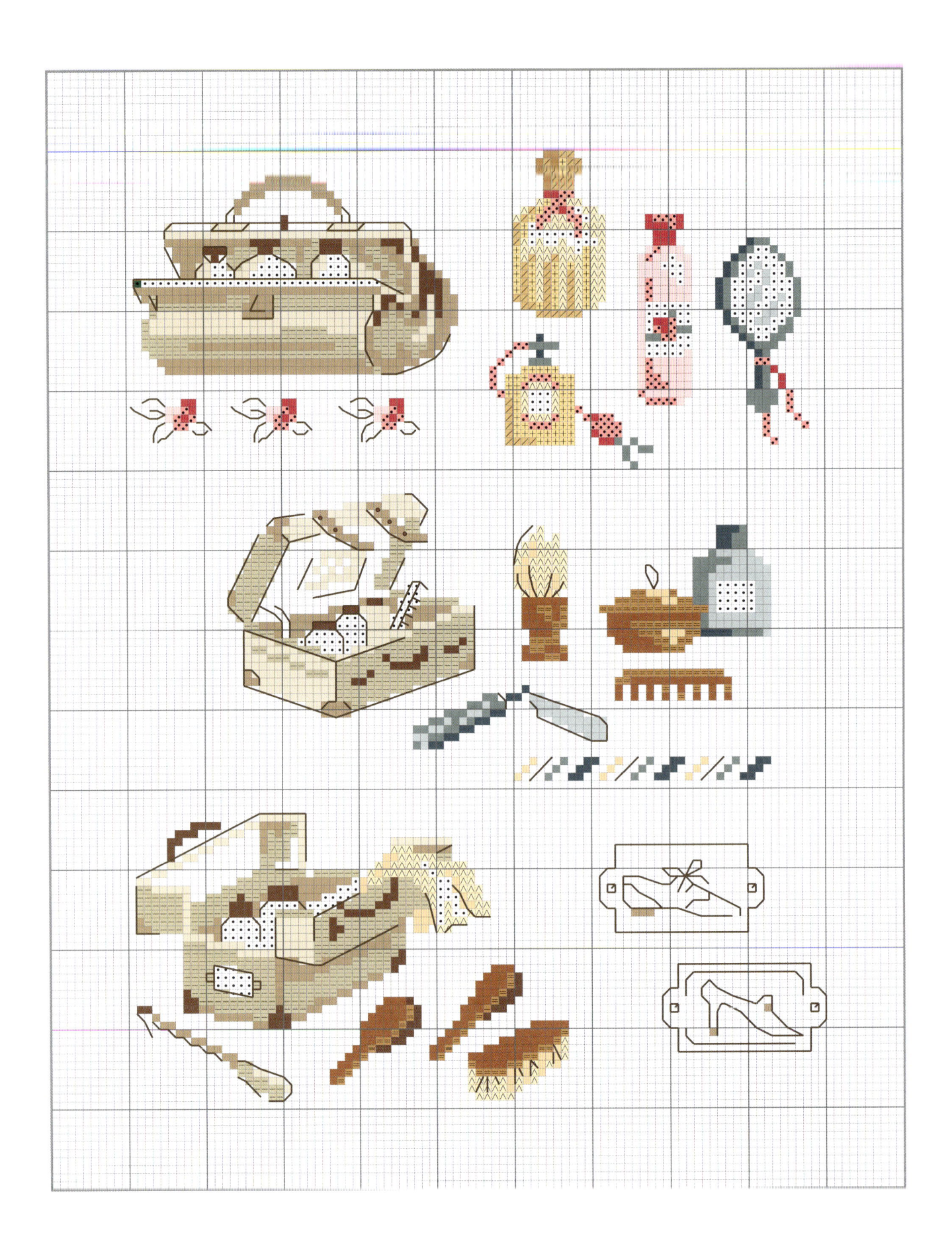

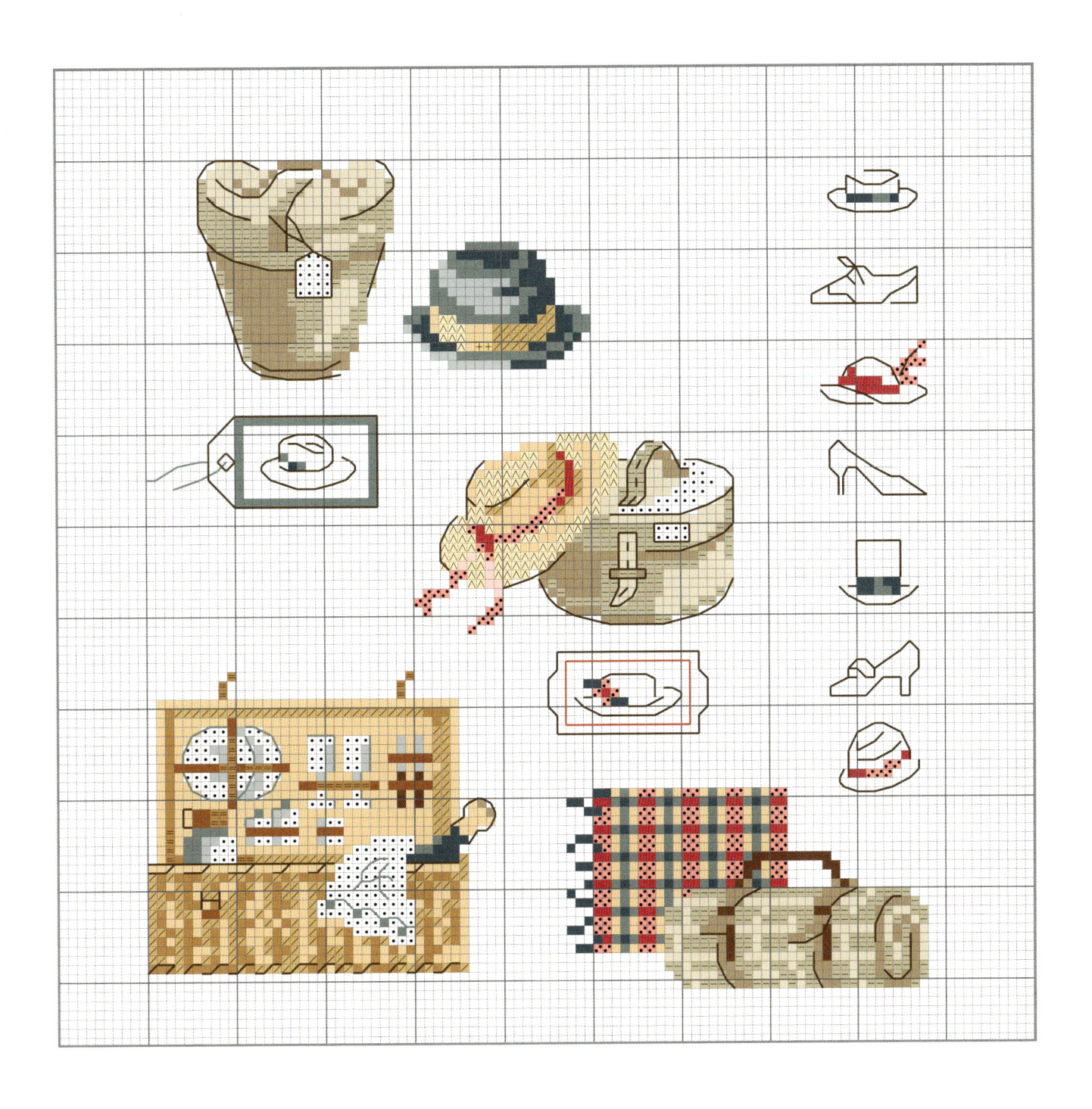

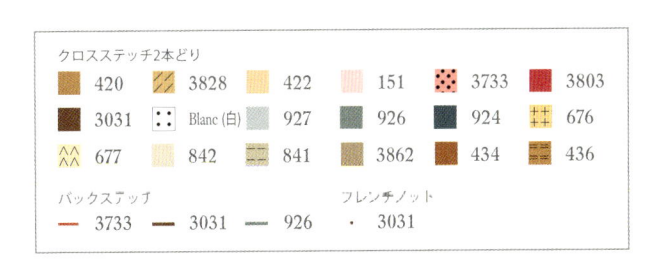

| | | | | | | |
|---|---|---|---|---|---|---|
| クロスステッチ2本どり | | | | | | |
| 420 | 3828 | 422 | 151 | 3733 | 3803 | |
| 3031 | Blanc (白) | 927 | 926 | 924 | 676 | |
| 677 | 842 | 841 | 3862 | 434 | 436 | |

バックステッチ　　　　　　　　フレンチノット
— 3733　— 3031　— 926　　・ 3031

109

110

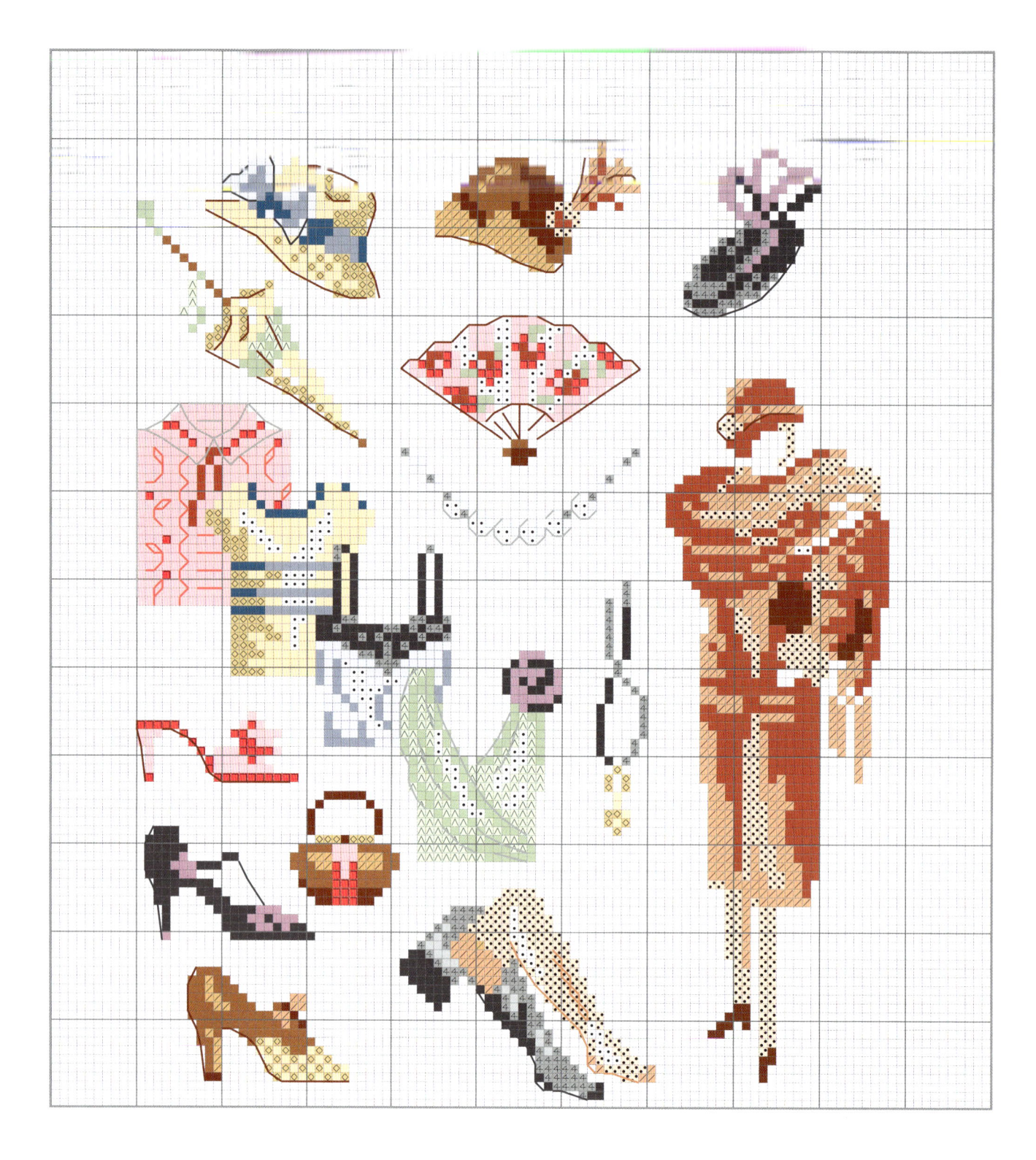

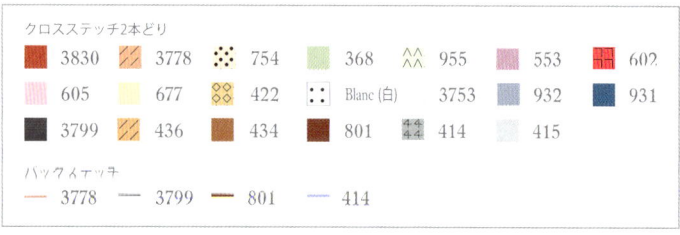

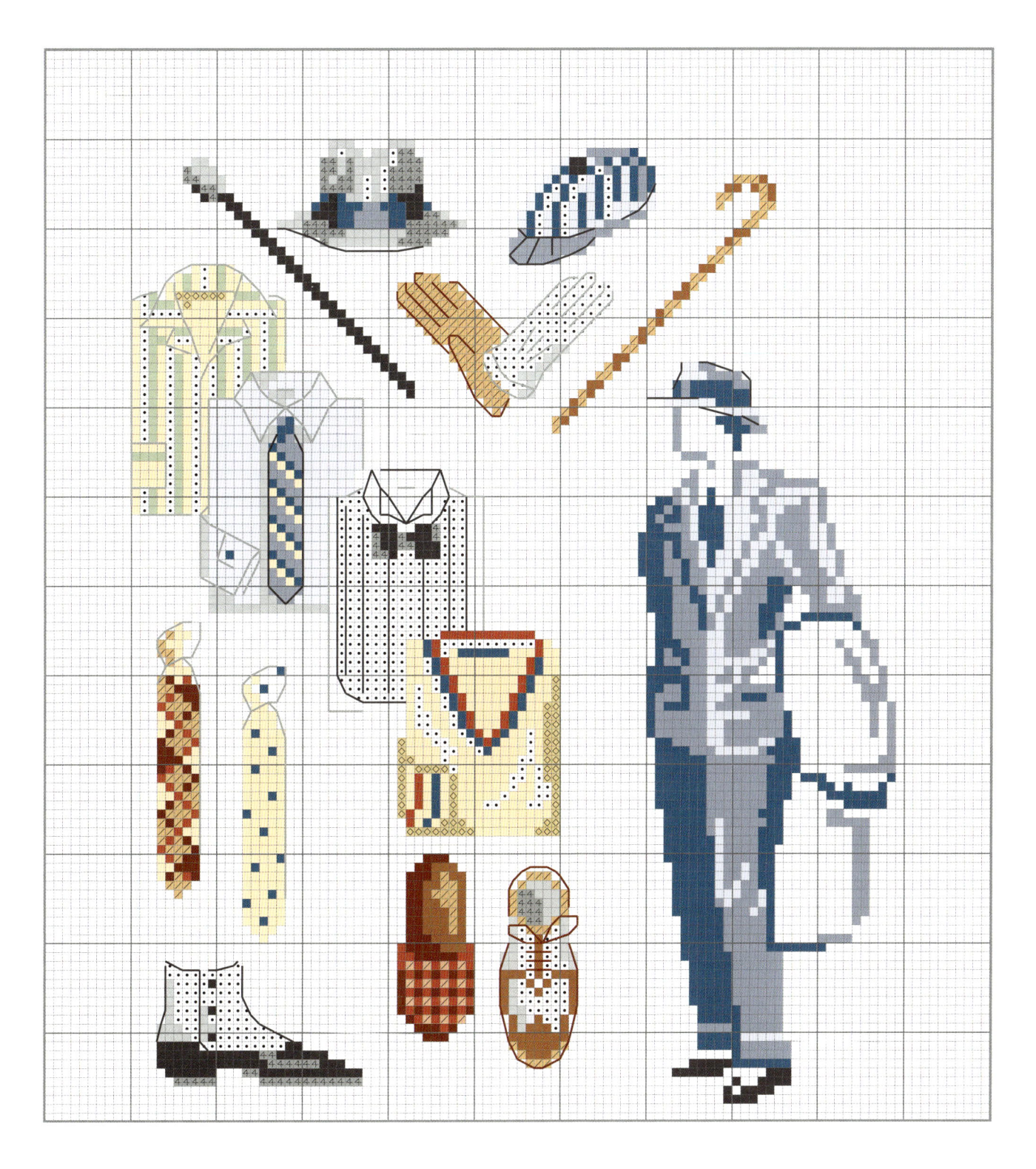

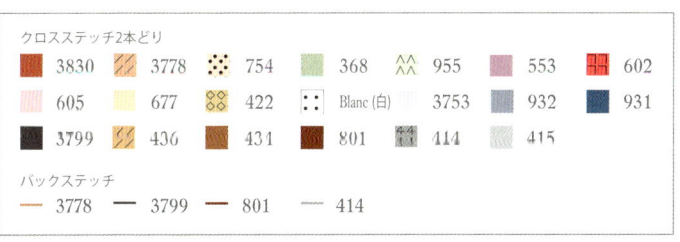

| クロスステッチ2本どり | | | | | | | |
|---|---|---|---|---|---|---|---|
| 3830 | 3778 | 754 | 368 | 955 | 553 | 602 | |
| 605 | 677 | 422 | Blanc (白) | 3753 | 932 | 931 | |
| 3799 | 436 | 434 | 801 | 414 | 415 | | |

バックステッチ
— 3778  — 3799  — 801  — 414

111

112

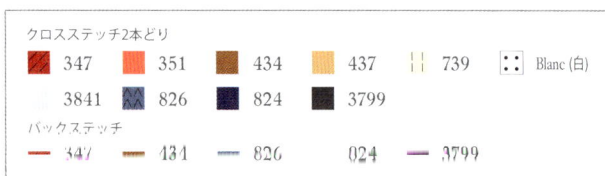

113

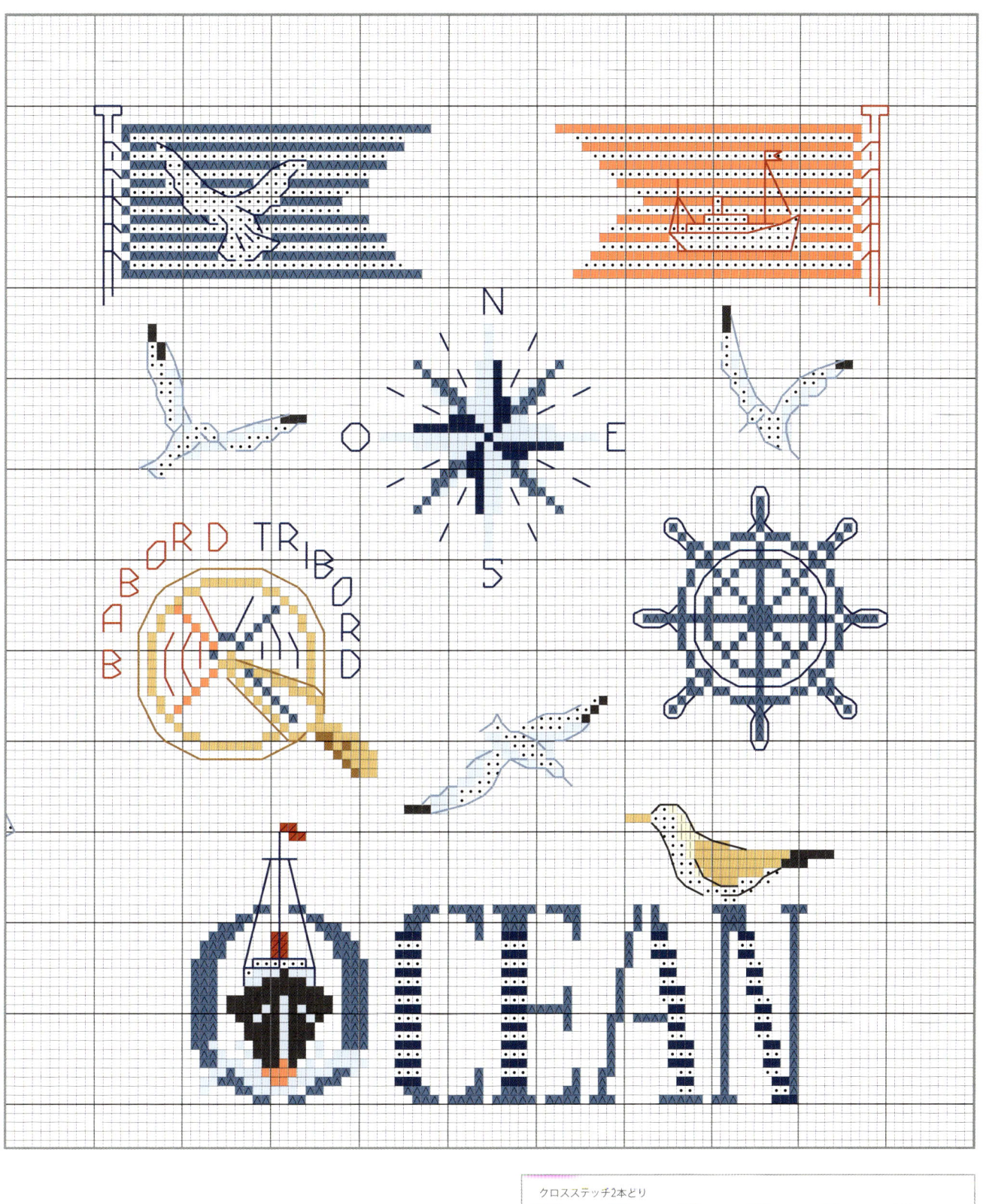

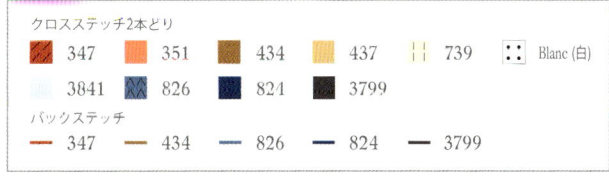

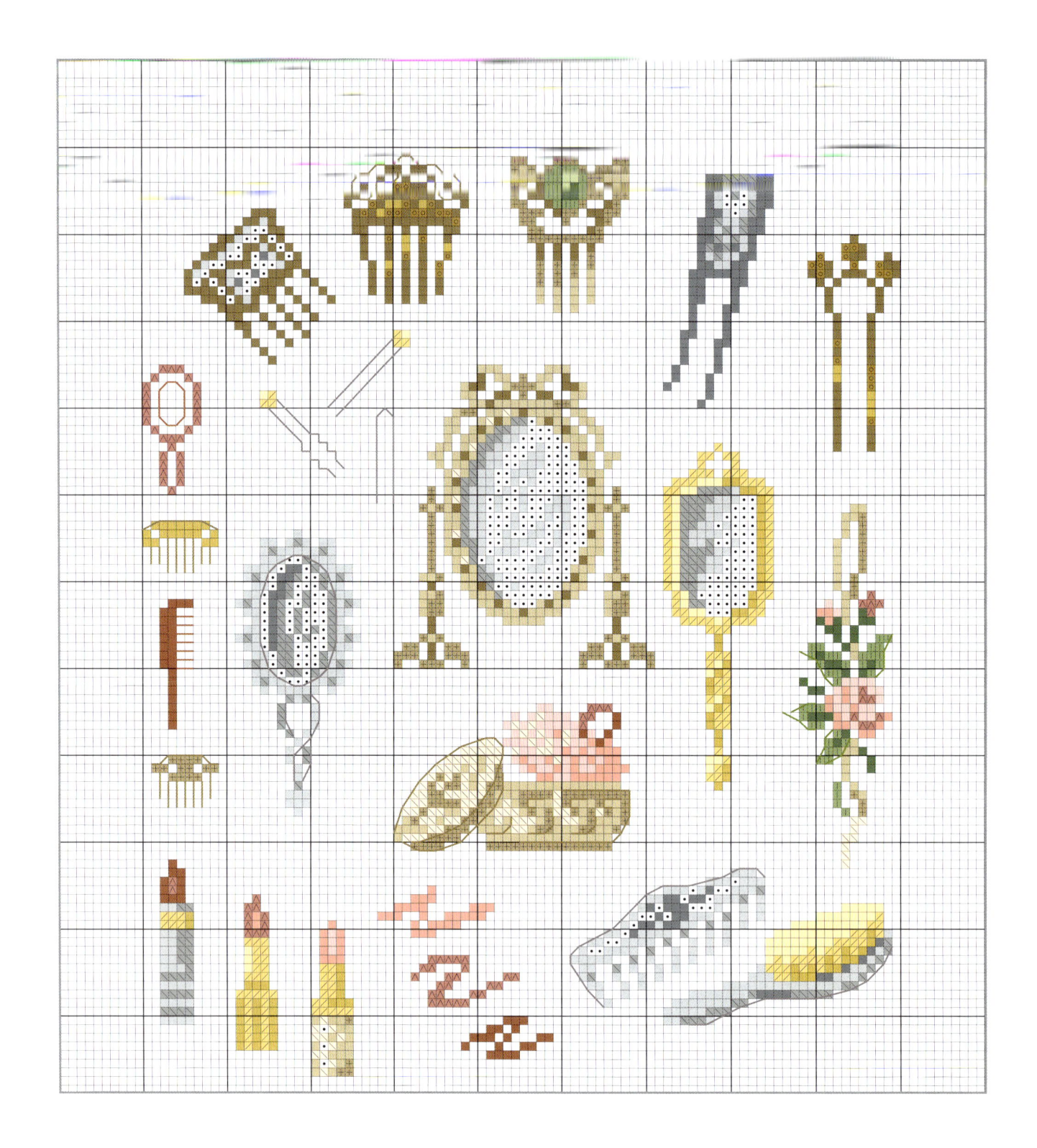

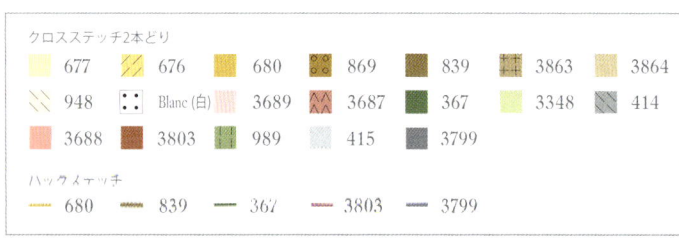

| | | | | | | | |
|---|---|---|---|---|---|---|---|
| クロスステッチ2本どり | | | | | | | |
| 677 | 676 | 680 | 869 | 839 | 3863 | 3864 | |
| 948 | Blanc (白) | 3689 | 3687 | 367 | 3348 | 414 | |
| 3688 | 3803 | 989 | 415 | 3799 | | | |
| ハックステッチ | | | | | | | |
| 680 | 839 | 367 | 3803 | 3799 | | | |

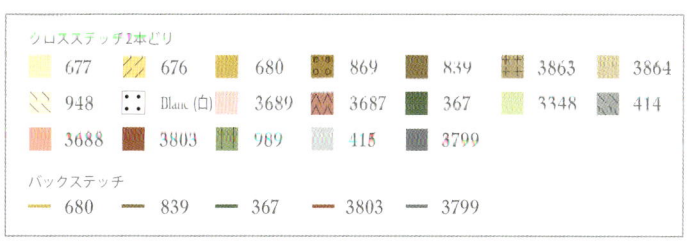

クロスステッチ2本どり

| | | | | | | |
|---|---|---|---|---|---|---|
| 677 | 676 | 680 | 869 | 839 | 3863 | 3864 |
| 948 | Blanc (白) | 3689 | 3687 | 367 | 3348 | 414 |
| 3688 | 3803 | 989 | 415 | 3799 | | |

バックステッチ
— 680  — 839  — 367  — 3803  — 3799

115

116

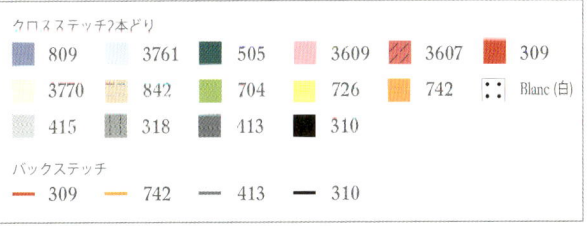

| 809 | 3761 | 505 | 3609 | 3607 | 309 |
| 3770 | 842 | 704 | 726 | 742 | Blanc (白) |
| 415 | 318 | 413 | 310 | | |

バックステッチ
— 309  — 742  — 413  — 310

## *Le matériel* 材料＆道具

### 生地
この本で紹介している作品はすべて、1cm 11目（角目ノは11cm あたり5.5目）のリネン（麻布）に刺しゅうしています。リネンは、織り糸が不規則で上級者向け。ナチュラルからアイボリー、そしてブルーからピンクまで美しい色が揃います。

### アイーダ
クロスステッチに最適の布。縦横の織り糸が正方形に分割されているブロック織りで、布目が規則正しくきれいに揃っています。目数が数えやすいので、スピーディー＆正確にステッチが仕上がります。大作や複雑な作品も楽々。初心者はまず、このタイプの布をチョイスしましょう。カラーバリエーションも豊富です。

### リネン＆エタミン
一般的にはクロスステッチ上級者向けの布。この手の布にステッチを刺すのはより経験を要します。布目がとても細かいので、根気強さと、視力の良さが必要になります。エタミンは、布目は細かいものの、縦横の織り糸が規則正しく揃っているので、目数は数えやすいでしょう。刺繍用リネンのほうが、布目は不規則です。2目ごとにステッチするのが一般的ですが、1目ごとに刺す場合もあります。その場合、より緻密な作業になるので、ルーペは欠かせません。

### ― 刺しゅう道具 ―

#### 刺しゅう針
クロスステッチを刺すには、針先が丸いクロスステッチ針を使うのがおすすめです。布目を傷めることがありません。1本どり、2本どり、または3本どりに応じて、針穴は比較的大きめです。
・クロスステッチは普通、2本どりでステッチを刺すので、24番の針がベスト。
・26番の針は、1本どりで刺す場合や、バックステッチなどを刺す場合に使う。

#### 刺しゅう枠
布をぴんと張り、きれいなステッチを刺すために欠かせません。一番使いやすいのは、木製の円形2つを重ねたタイプのもの。サイズは各種あります。ステッチする図案の周りに少し余白ができる大きさのものを選びましょう。布をはさむときには、布目がまっすぐになっているかを確認してから、枠のねじをしめます。

### 糸
この本で紹介している作品はすべて、DMCの刺しゅう糸を使っています。DMCの刺しゅう糸は、カラーのバリエーションが500種類ほどあるので、繊細なニュアンスを表現でき、洗練された作品に仕上がります。刺しゅうには25番刺しゅう糸がよく使われ、クロスステッチではたいていこの糸を使います。6本の細い糸がより合わさっていて、簡単に1本ずつ引き抜くことができます。

### その他の道具
この本で紹介している作品を作るためには、最低限の裁縫道具も必要です。指ぬき、糸、針。また、刺しゅう糸を切るために小さな手芸用ハサミ、そしてリネンや木綿布を切るために裁ちバサミ。接着芯は、貼ることで表地を固くして補強します。

### 仕上げ
ステッチが完成したら、刺しゅう枠から布を外して、はみ出ている糸端をていねいに切り、中心にしつけした糸を取り除きます。水で軽く手洗いしてから清潔な布の上に置いて乾かし、完全に乾ききる前に厚地のタオルの上に移し、裏からアイロンをかけます。これで準備完了。額に入れたり、手を加えて作品に仕上げましょう。

# Réalisations et conseils
## 作品の作り方とコツ

### ステッチを始める前に
・布を選んだら、後に述べる方法で図案の出来上がりサイズを割り出し、布をカットします。図案のモチーフをステッチしやすいように、余裕を持たせましょう。また、額に入れる場合や、縫い合わせて作品に仕上げる場合は、モチーフの周りに余白を持たせることも忘れずに。

・布をカットしたら、ほつれ防止のために縁をかがる。

・布を4つ折りにして中心を見つける。大きなタペストリーなど複雑な図案をステッチする場合は、縦と横の中心線をしつけ糸で縫っておけば目印となり、ステッチが刺しやすくなります（ステッチが仕上がったらしつけ糸は取り除くので、きつく刺しすぎないこと）。

### チャート
チャートは小さな方眼状になっていて、それぞれのマス目の色は、ステッチに使う糸の色と対応しています。各色の番号は、DMCの刺しゅう糸に対応しています。

チャートをカラーコピーで拡大すれば、見やすくなって、作業がはかどるでしょう。

### カウントについて
「Counted」の略で、「ct」と表記し、1インチ（2.54cm）の中に布目が何目あるのかをいいます。例えば、11ctは、1インチに11目あるという意味で、カウント数が増えるにしたがって目は細かくなっていきます。

### 出来上がりサイズ
出来上がりサイズは、使う布の目数によって変わってきます。1cmあたりの目数が多ければ多いほど、ステッチの数は多くなり、モチーフは小さくなります。出来上がりが何cmになるかを割り出すには、次の方法にしたがって計算してください。

1. 布1cmあたりの目数を、何目ごとにステッチするかで割り、1cmあたりのステッチの数を割り出します。

例）1cm＝11目の布に2目刺しする場合、ステッチは1cmあたり5.5目（11目÷2目ごと）。

2. チャートのステッチ数（幅＆高さのマス目の数）を数え、その数を5.5で割れば、出来上がりサイズが割り出せます。

例）：250目（幅）×250目（高さ）の場合

幅：250÷5.5＝約45cm

高さ：250÷5.5＝約45cm

以下は、布の目数とステッチの目数の換算表です。図案の出来上がりサイズを割り出すのに参考にしてください。

| 布の目数 | 1cmあたりのクロスステッチの数（2目刺しの場合） | カウント |
|---|---|---|
| エタミン | | |
| 1cm＝5目 | 2.5目 | 13ct |
| 1cm＝10目 | 5目 | 25ct |
| 1cm＝11目 | 5.5目 | 28ct |
| リネン | | |
| 1cm＝5目 | 2.5目 | 13ct |
| 1cm＝10目 | 5目 | 25ct |
| 1cm＝11目 | 5.5目 | 28ct |
| 1cm＝12目 | 6目 | 32ct |

この本で紹介している作品は、すべて1cmあたり11目のリネンに刺しゅうしています。

## Le sac à pain
# おしゃれなフランスパン袋…Photo P.18-19 Chart P.65

### 材料
- 刺しゅう布　麻布（ツバキ＝11目/cm）：10×29cm
- ＤＭＣの刺繍糸：898、3829、3821、745、945、3721、3778、562、563、772、162、310、3864、3862、Blanc（白）
- 表布　木綿プリント（クリーム色にブラウンのドット）
  - 横68×縦60cm
  - メインの部分：46×60cm
  - ひも通しの部分：22×4cmを2枚
  - 底の部分：直径16cmの円形
- 山道テープ（黒）：50cm
- ひも（黒）：130cm

出来上がりサイズ
- 22×58cm
（この袋のサイズはフランスパン1本用です。）

刺しゅうのサイズ
- 7.5×26.5cm

●単位はcm

### 作り方
1. 刺しゅう布の中央にモチーフを刺しゅうする。（P.65参照）
2. 刺しゅう布のモチーフの周りを1.2cm残して切る。周囲を0.8cm裏に折り、アイロンをかける。
3. 側面の表布の左右の中心、上から25cmに刺しゅう布を載せ、縁から0.2cmにミシンをかける。
4. 側面の布は袋口を0.5cm裏に折り、さらに1cm折って三つ折りする。左右の辺の縁をかがる。
5. ひも通し布は両側を折ってから上下も折る。
6. 刺しゅう布の上部に、1枚目のひも通し布を縫い付ける。
7. 中表に合わせて脇を縫い、縫い代を割る。
8. 側面の底辺に円形の布を中表に合わせぐるりと縫い、2枚一緒に縁をかがる。
9. 山道テープを袋口に待ち針で留め、テープの中央を縫う。
10. もう1枚のひも通し布を縫い付けて、表に返す。
11. ひもを二重に通して、ひもの端を細かく縫い合わせたら、ひも通しの中に隠す。

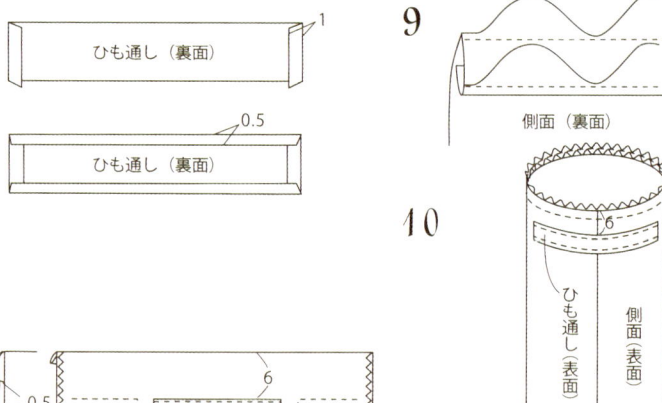

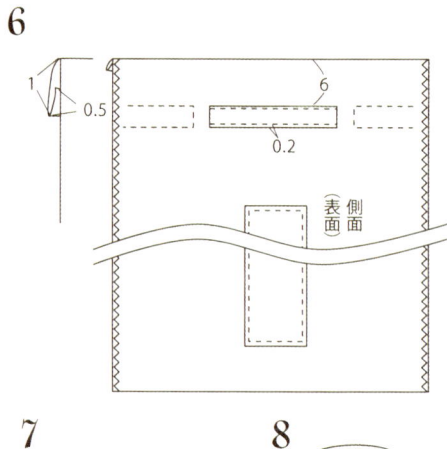

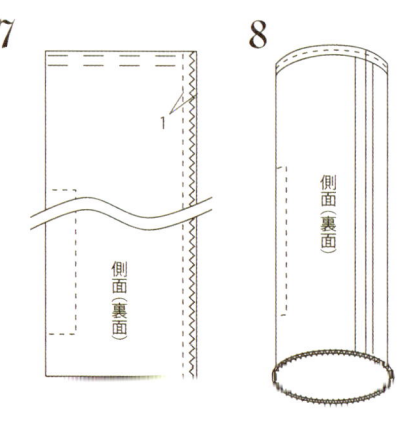

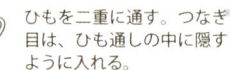

*Le tablier*

## 陽気なエプロン… Photo P.26-27  Chart P.68

**材料**
- 刺しゅう布　麻布（未晒しDMC 842　11目／cm）： 45×35cm
- DMCの刺しゅう糸：3685、3350、335、604、963
- 表布　木綿布（ラズベリー色）：90×90cm
  - エプロンの胸あて部分：42×33.5cm
  - エプロン：61×56 cm
  - 結びひも：10×65cmを2枚
  - 首ひも：10×54cm

出来上がり作品のサイズ
- 59×84cm

刺しゅうのサイズ
- 18.4×24.5cm

- 単位はcm

寸法図

**作り方**

1. 刺しゅう布の中央にモチーフを刺しゅうする。（P.68参照）
2. P.127の胸当ての型紙を写し取り、刺しゅう布に写し、縫い代をつけて切る。同様に表布も裁断する。
3. 結びひもと首ひもを中表に折り、ミシンをかける。
4. 縫い代を割り、表に返す。
5. 結びひもと首ひもを図のように端から0.5cmを粗ミシンまたは手でしつけして仮付けする。
6. 胸当ての表布（木綿布）と中表に合わせてミシンをかけ、表に返す。
7. エプロンは裾、脇の順に、アイロンで裏側に0.5cm、次に1cm折って三つ折りにし、ミシンをかける。
8. 胸当ての刺しゅう面とエプロンを中表に合わせて縫い、縁をかがる。

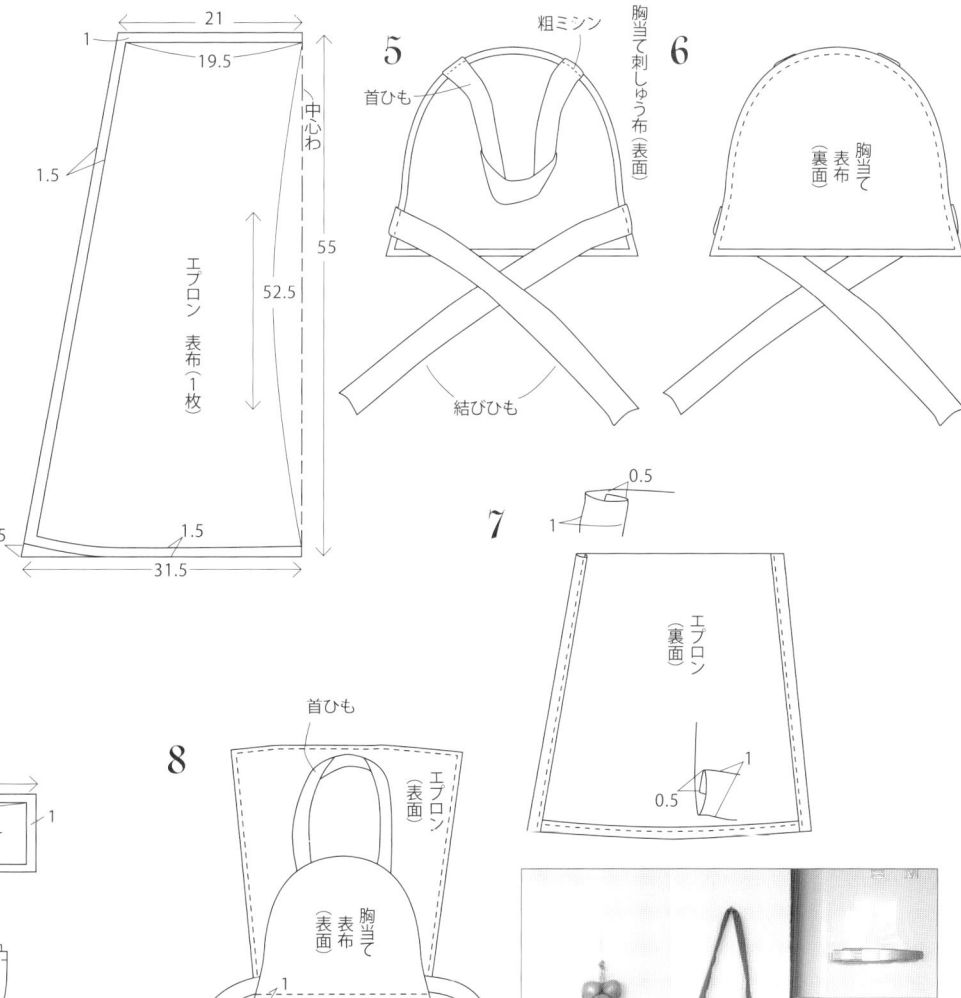

完成

## Le sac de jardinage
## お花屋さんのガーデニングバッグ・・・Photo P.34-35 Chart P.71

### 材料
●刺しゅう布：麻布（DMC 842 ナチュラル11目／cm）：
140cm幅を20cm（ロール巻きは140cm幅）
DMCの刺しゅう糸：（各1束ずつ）：964、992、561、
987、989、209、333、326、3832、760、761、3823、
744、728、3776、975、435、Blanc（白）、414、415、
3799
●表布：厚手木綿布（緑）：横95×縦60cm
　　　バッグ本体用：32×23cmを2枚
　　　前後のポケット：47×17cmを2枚
　　　持ち手：10×50cm
　　　底面：25.2×14cm
●接着芯（厚）：横95×縦60cm（表布と同様）
●裏布（中袋）：木綿プリント地（小花柄）：
　　　　　　　横90×縦25cm
　　側面：32×25cmを2枚
　　底面：25.2×14cm
●バイアステープ　木綿プリント地（水玉柄）：
　　　　　　4cm幅×95cm

出来上がりサイズ
●30×21cm

刺しゅうのサイズ
●15.6×12cm

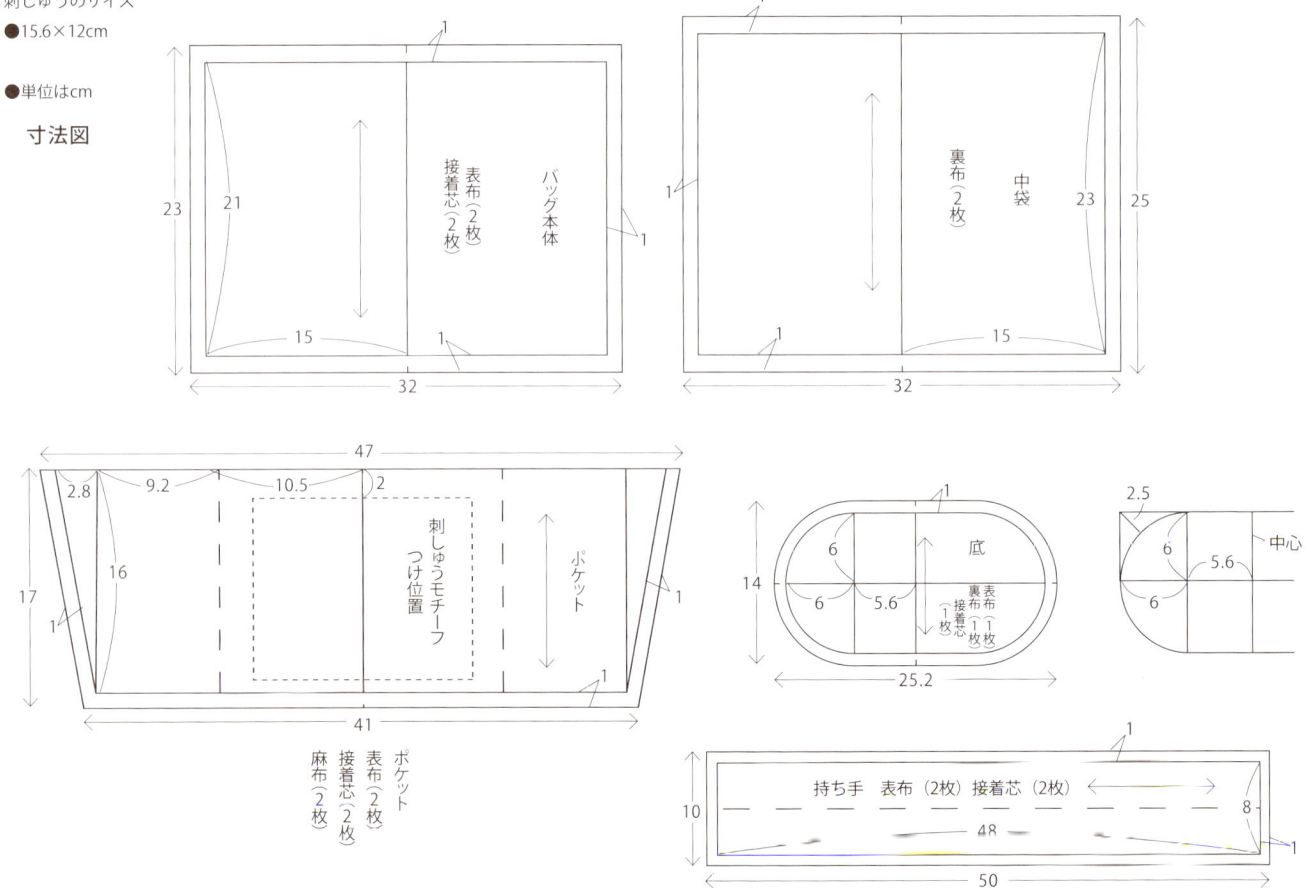

●単位はcm

寸法図

### 作り方
1. 刺しゅう布の中央にモチーフを刺しゅうする。（P.71参照）
2. 刺しゅう布のモチーフの周りを1.2cm残して切る。周囲を0.8cm裏に折り、アイロンをかける。
3. 表布（厚手木綿布）の裏にそれぞれ接着芯を貼る。ポケット部分の生地の中央に刺しゅうした布を載せ、刺しゅう布の縁から0.2cmにミシンをかける。
4. ポケット表布に刺しゅうした麻布を合わせて二重にしたら、縁にバイアステープを縫いつける。
5. ポケットの仕切りにミシンをかける。
6. ポケットの外側、縁から0.5cmを粗ミシンで仮止めする。
7. 本体を中表に合わせて両脇を縫う。
8. 底と縫い合わせ、表に返す。
9. 裏布は脇に10cmの返し口を残して同様にする。
10. 本体の表と裏を中表に重ね、袋口を縫う。
11. 裏布の返し口から表に返し、口をかがって閉じる。
12. 袋口の縁から0.8cmのところにミシンをかける。
13. 持ち手の縫い代を折る。
14. 半分に折って両端6cmを残して端から0.2cmにミシンをかける。
15. 本体にミシンで持ち手を付ける。

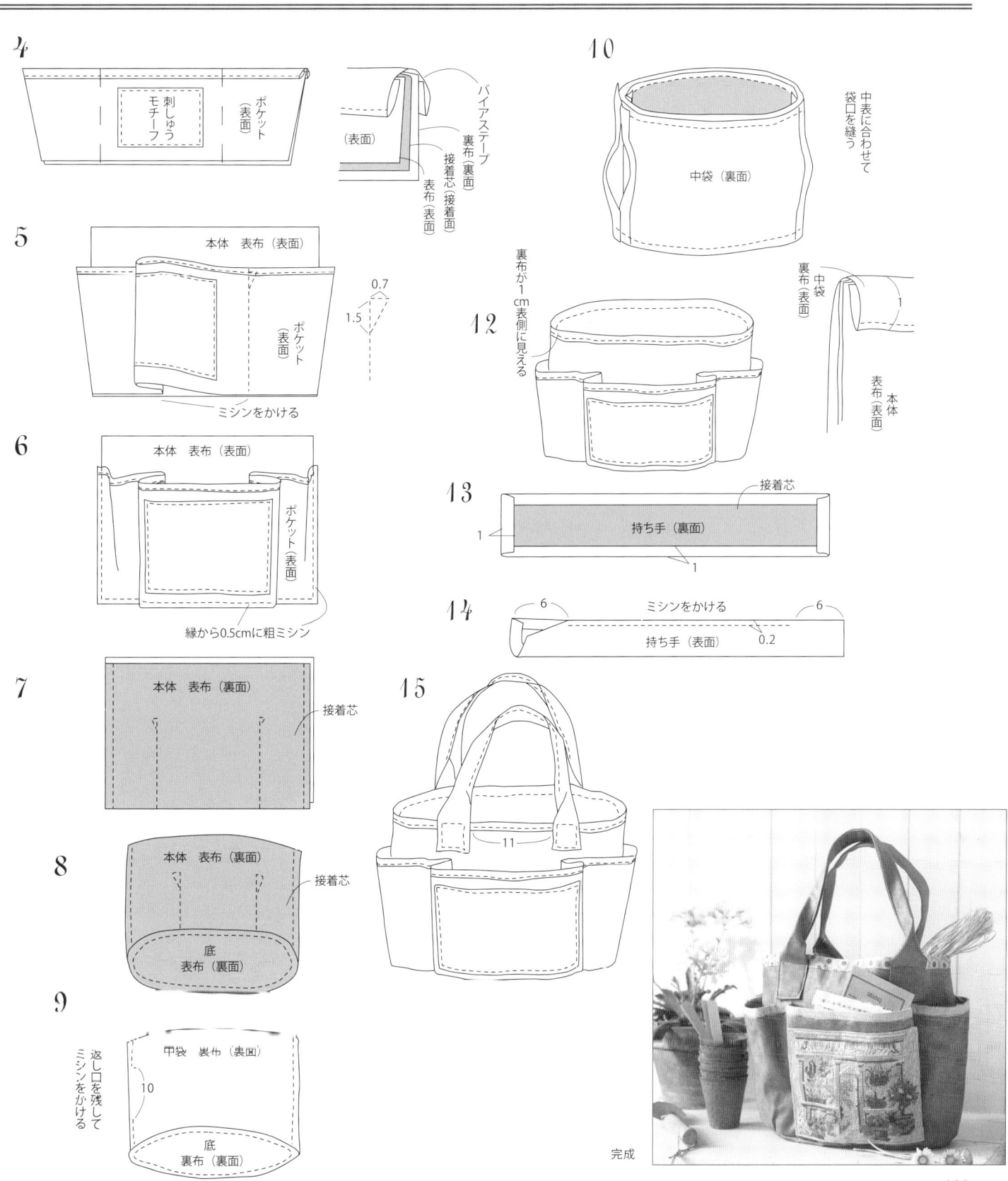

## 4
ポケット（表面）
刺しゅうモチーフ

バイアステープ裏布（裏面）
接着芯（接着面）
表布（表面）
表布（表面）

## 5
本体 表布（表面）
ポケット（表面）
0.7
1.5
ミシンをかける

## 6
本体 表布（表面）
ポケット（表面）
縁から0.5cmに粗ミシン

## 7
本体 表布（裏面）
接着芯

## 8
本体 表布（裏面）
接着芯
底 表布（裏面）

## 9
中袋 表布（裏面）
返し口を残してミシンをかける
10
底 裏布（裏面）

## 10
中袋（裏面）
中表に合わせて袋口を縫う

## 12
裏布が1cm表側に見える
裏布（表面）
中袋
表布（表面）
本体
1

## 13
接着芯
持ち手（裏面）
1
1

## 14
6
ミシンをかける
6
持ち手（表面）
0.2

## 15
11

完成

# La valise à chapeaux
## パリジェンヌの帽子ケース・・・Photo P.40-41　Chart P.73

### 材料

- 刺しゅう布　麻布（アイボリー 11目／cm）．36×36cm
- 表布　プリント生地（グレー系木綿生地）：110cm幅を80cm
  - （底）直径30cm
  - （ケース本体部分）94×15cm
  - （ふた部分側面）94×5cm
  - （持ち手）6×78cm

- 裏地　生地（グレー）：110cm幅を80cm
  - （ふたの下部＆底面）直径30cmを2枚
  - （ケース本体部分）96×17cm
  - （ふた部分側面）96×6cm
  - （持ち手）6×78cm

- 圧縮ウール：94×50cm
  - （ふた部分と底）直径30cmを2枚
  - （ケース本体部分）94×15cm
  - （ふた部分側面）94×5cm

- 接着芯（白）：40cm×1m
  - （ふた部分）直径30cm
  - （持ち手）78×6cm

- バイアステープ（ピンクに白のドット）：両折18mmを2m
- ファスナー（グレー）：45cmを2本
- 大きなボタン（直径2.5cm）（ピンク）：2個
  生地に応じた縫い糸各種

- ケースの直径：30cm／高さ：19cm

刺しゅうのサイズ
- 18×24.2cm

- 単位はcm

### 作り方

1. 刺しゅう布に刺しゅうをする。（P.73参照）裏に接着芯を貼り、円形に切る。
2. 刺しゅう布、圧縮ウール、裏地を重ねて周りにしつけをかける。
3. 底面も同様にプリント生地、圧縮ウール、裏地を重ねてしつけをかける。
4. ふた側面と本体側面それぞれ、圧縮ウールと合わせしつけをかける。
5. ミシンにファスナー押さえを付け、ふた側面の生地の中心から1本目のファスナーと中表に合わせ、端までミシンをかける。2本目のファスナーも中心から反対側に同様に縫う。

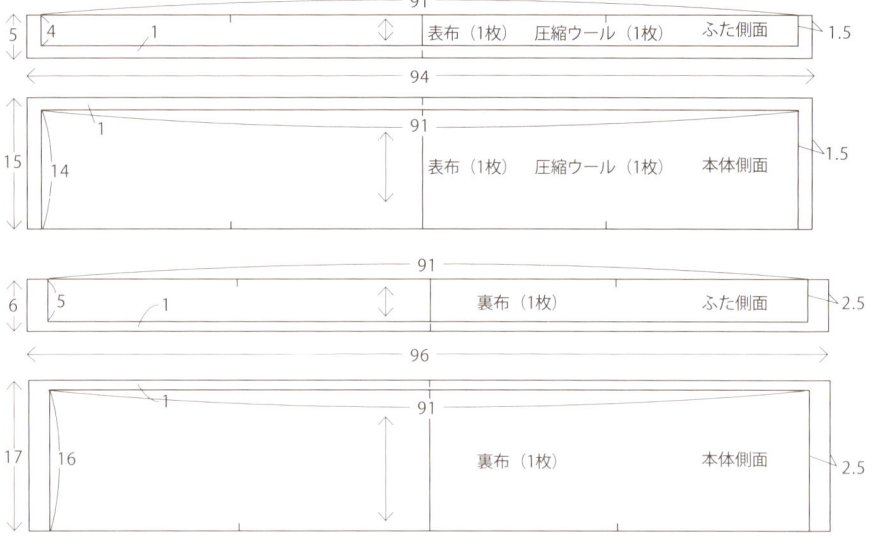

### 寸法図

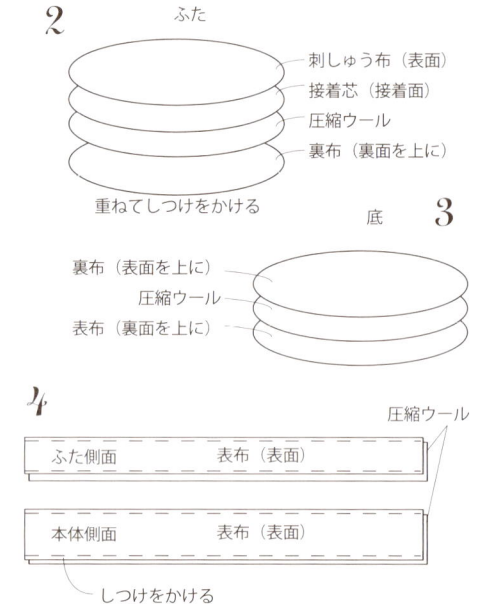

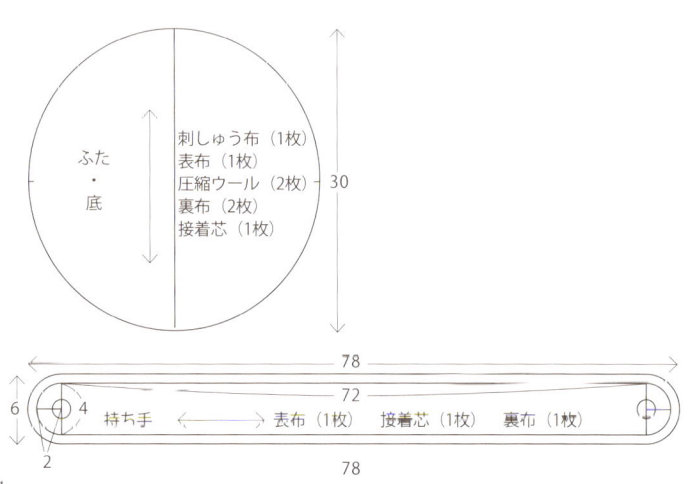

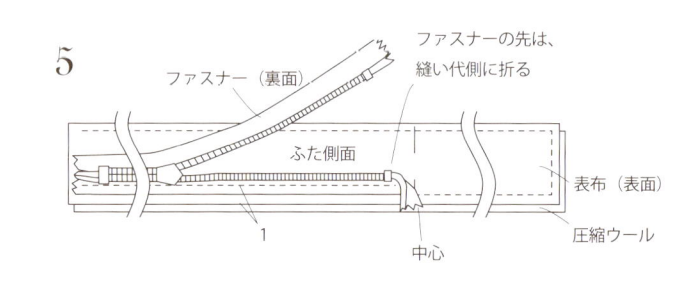

6 裏布を、ファスナーをはさんで表布と中表に合わせミシンをかける。

7 ふた側面の表布・裏布ともに表にして、形を整える。

8 本体側面の表布と裏布も[5]、[6]、[7]と同様にファスナーに付ける。

9 アイロンで形を整える。3枚重なった布がずれないようにふた側面の上端、本体側面の下端からそれぞれ2cmにしつけをかける。

10 脇の縫い目を袋縫いする。側面の両脇を裏同士に合わせて端から1cmにミシンをかける。

11 裏に返して縫い目を中表に合わせ、端から1.5cmを縫い、表に返す。切り込みを入れていく。

12 ふたとふた側面、底と本体側面の裏布同士を合わせ縁にしつけをかける。

13 バイアステープの折り山の片側を開いてふたの面に中表にのせ、端を合わせて、折り山の位置をミシンで縫う。

14 バイアステープで縁をくるんでまつる。底と本体側面も同様に縫う。

15 持ち手は表布の裏に接着芯を貼り、裏布と中表に合わせて、返し口を残してぐるりとミシンをかける。そして、返し口から表に返し、端にミシンをかける。

16 持ち手の両端を本体側面の上端から5cmの位置にボタンで縫い付ける。

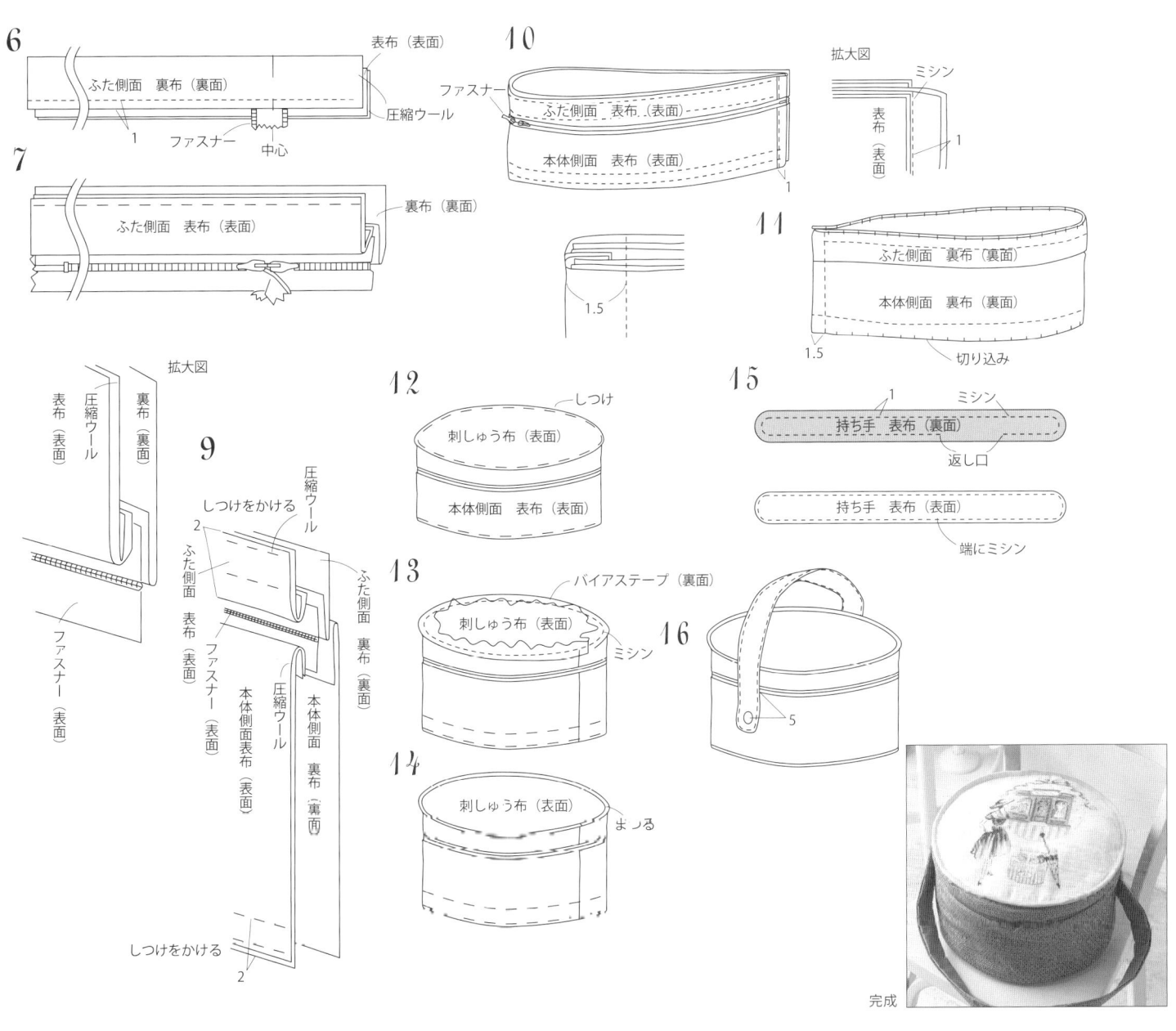

完成

*Le cabas de plage*

# バカンス気分のビーチバッグ・・・Photo P.48-49 Chart P.76

## 材料
- 表布　刺しゅう用麻布（DMC 842ナチュラル11目/cm）：140cm幅で70cm
  - （刺しゅう部分用）28×28cm
  - （バッグの前後）46×42cm
  - （持ち手）24×50cm
- 裏布　ボーダーの生地：46×42cm　2枚
- 山道テープ（黄色）：100cm
- 生地に応じた縫い糸各種

## 出来上がりサイズ
- 44×33cm

## 刺しゅうのサイズ
- 21×24cm

●単位はcm

## 作り方

1. 刺しゅう布の中央に刺しゅうをする。（P.76参照）
2. 刺しゅう布のモチーフの周りを1.2cm残して切る。周囲0.8cmを裏に折りアイロンをかける。
3. 刺しゅう布をバッグ本体にミシンで縫い付け、山道テープを刺しゅうの周りに留める。
4. 本体を中表に合わせ、底と脇を縫う。縫い代を割る。バッグの前と後ろも中表に合わせ、脇と底を縫う。縫い代を割る。
5. 本体の底の隅の角を開き、脇線と底辺の縫い目を合わせる。角の先端から7cmのところをマチ針で留め、縫い目に直角に縫う。余分な縫い代を切り落としたら表に返す。
6. 中袋布は、ボーダー柄の長方形の生地2枚を中表で重ねる。底辺に返し口10cmを残して、［4］と同様に縫う。
7. 持ち手は細長く外表に4つに折り、端をミシンで縫う。そして、持ち手の端は、バッグ本体の端から12cmのところに留める。
8. 本体と中袋を中表に合わせ、袋の口をぐるりと縫う。返し口から表に返し、かがって閉じる。

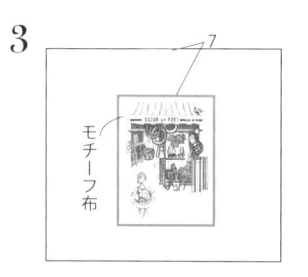

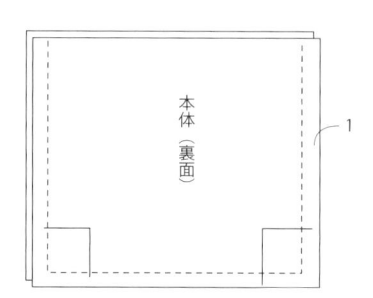

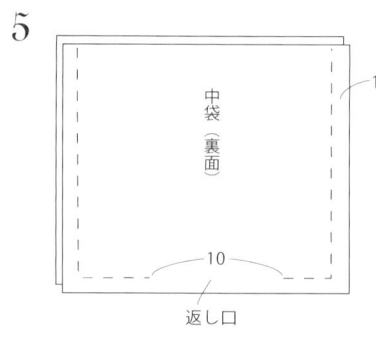

寸法図

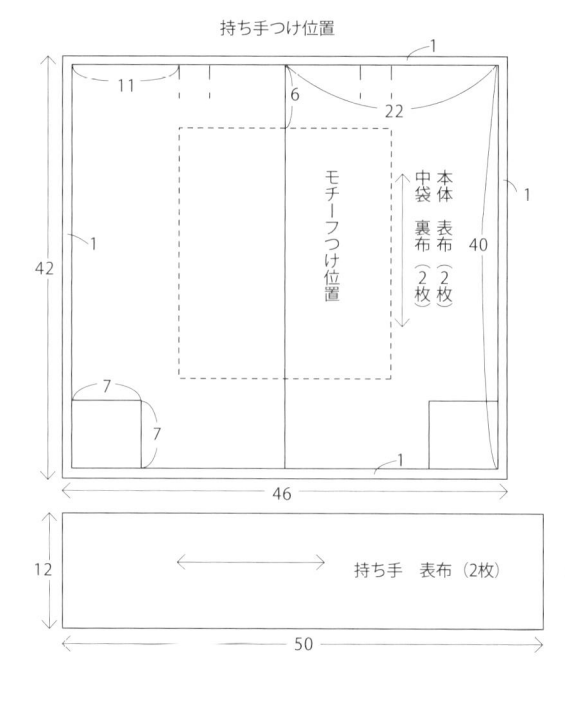

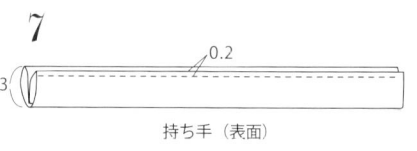

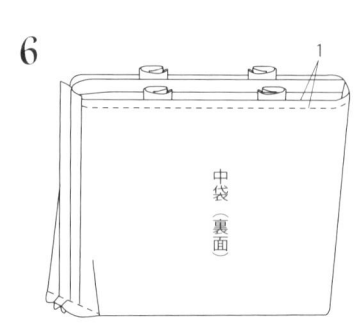

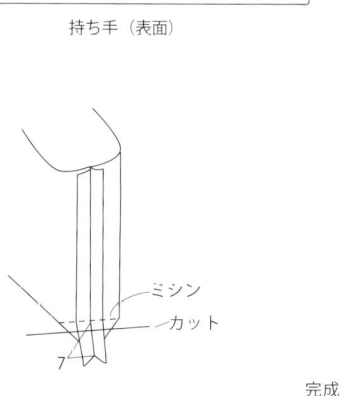

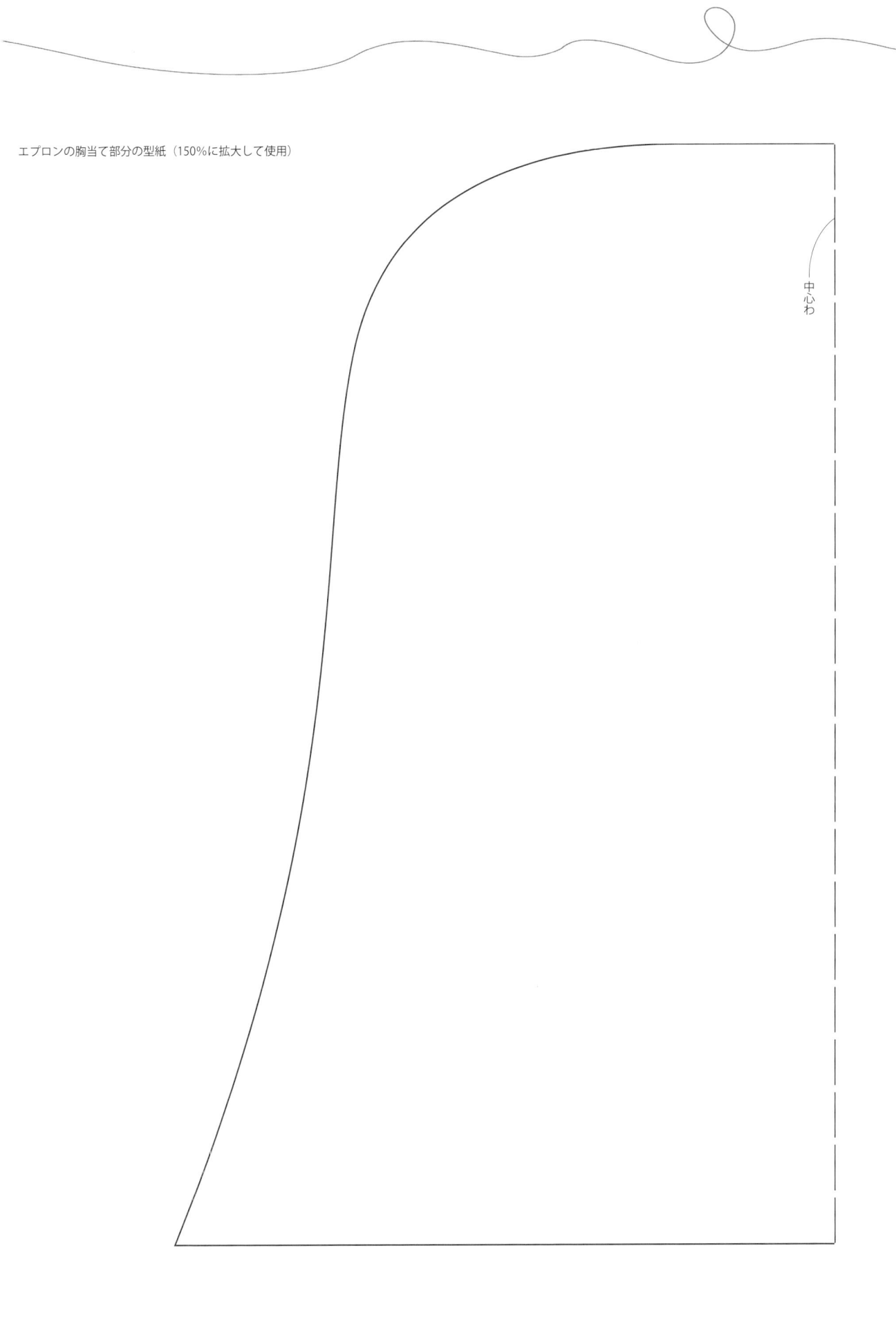

エプロンの胸当て部分の型紙（150%に拡大して使用）

中心わ

## パリのお店屋さんのクロスステッチ
―― 480点のセナーノで楽しむお店めぐり ――

| | |
|---|---|
| 2015年 1月25日 | 初版第1刷発行 |
| 2016年 4月25日 | 初版第2刷発行 |
| 2021年 7月25日 | 初版第3刷発行 |

著者　　ヴェロニク・アンジャンジェ（Véronique Enginger）
発行者　長瀬 聡
発行所　株式会社グラフィック社
　　　　〒102-0073 東京都千代田区九段北1-14-17
　　　　Phone: 03-3263-4318　Fax: 03-3263-5297
　　　　http://www.graphicsha.co.jp
　　　　振替00130-6-114345

印刷製本　図書印刷株式会社

乱丁・落丁本はお取り替えいたします。
本書掲載の図版・文章の無断掲載・借用・複写を禁じます。
本書のコピー、スキャン、デジタル化等の無断複製は著作権法上の例外を除き禁じられています。本書を代行業者等の第三者に依頼してスキャンやデジタル化することは、たとえ個人や家庭内での利用であっても著作権法上認められておりません。

図案の著作権は、著者に帰属します。図案の商業利用はお控えください。あくまでも個人でお楽しみになる範囲で節度あるご利用をお願いします。

ISBN978-4-7661-2735-5 C2077

Japanese text © 2015 Graphic-sha Publishing Co., Ltd.

Printed and bound in Japan

### 和文版制作スタッフ

| | |
|---|---|
| 翻訳 | 柴田里芽 |
| 作り方ページ制作 | 安田由美子 |
| 組版・トレース | 石岡真一 |
| カバーデザイン | 北谷千顕（CRK DESIGN） |
| 編集・制作進行 | 坂本久美子 |

本書に掲載されているクロスステッチの作品写真は、フランス語版原著に基づいています。一部、チャートと違っている場合もございます。作品写真はイメージとしてお楽しみください。

本書84～117ページのチャートは下記の書籍からの抜粋です。
Gravures de mode by Véronique Enginger © Editions Mango Pratique 2009
Fabuleux voyages by Véronique Enginger © Editions Mango Pratique 2011
Chocolat, thé, café by Véronique Enginger © Editions Mango Pratique 2012
Un brin de nostalgie by Véronique Enginger © Editions Mango Pratique 2013